P9-CMA-865

Ce livre est le
DIX-HUITIÈME
publié dans la collection
ROUGE
dirigée par J.R. Léveillé
conception graphique : Bernard Léveillé

DU MÊME AUTEUR

FASTES, *poésie, Ottawa, Bibliothèque canadienne française, 2003.*

NEW YORK TRIP, *novella, Ottawa, L'Interligne, 2003.*

DESS(E)INS II DRAWING(S), *avec Tony Tascona, textes et dessins, Saint-Boniface, Éditions du Blé, 2001.*

LE SOLEIL DU LAC QUI SE COUCHE, *roman, Saint-Boniface, Éditions du Blé, 2001.*

DESS(E)INS/DRAWINGS *avec Tony Tascona, textes et dessins, Winnipeg, Ink Inc., 1999.*

PIÈCES À CONVICTION, *texte, Winnipeg, Ink Inc., 1999.*

UNE SI SIMPLE PASSION, *roman, Saint-Boniface, Éditions du Blé, 1997.*

LES FÊTES DE L'INFINI, *poésie, Saint-Boniface, Éditions du Blé, 1996.*

ROMANS, (TOMBEAU, LA DISPARATE, PLAGE), *Saint-Boniface, Éditions du Blé, 1995.*

CAUSER L'AMOUR, *poésie, Paris, Éditions Saint-Germain des Prés, 1993.*

ANTHOLOGIE DE LA POÉSIE FRANCO-MANITOBAINE, *Saint-Boniface, Éditions du Blé, 1990.*

MONTRÉAL POÉSIE, *texte, Saint-Boniface, Éditions du Blé, 1987.*

L'INCOMPARABLE, *essai, Saint-Boniface, Éditions du Blé, 1984.*

PLAGE, *roman, Saint-Boniface, Éditions du Blé, 1984.*

EXTRAIT, *texte, Saint-Boniface, Éditions des Plaines, 1984.*

LE LIVRE DES MARGES, *poésie, Saint-Boniface, Éditions des Plaines, 1981.*

ŒUVRE DE LA PREMIÈRE MORT, *poésie, Saint-Boniface, Éditions du Blé, 1978.*

LA DISPARATE, *roman, Montréal, Éditions du Jour, 1975.*

TOMBEAU, *roman, Winnipeg, Canadian Publishers, 1968.*

En traduction en langue anglaise

NEW YORK TRIP, *novella, (trad. Guy Gauthier), Winnipeg, Ink Inc., 2003.*

DESS(E)INS II DRAWING(S), *with Tony Tascona, (trad. de l'auteur), Saint-Boniface, Éditions du Blé, 2001.*

THE SETTING LAKE SUN, (LE SOLEIL DU LAC QUI SE COUCHE), *novel, (trad. Sue Stewart), Winnipeg, Signature Editions, 2001.*

DESS(E)INS/DRAWINGS, *with Tony Tascona, (trad. de l'auteur), Winnipeg, Ink Inc., 1999.*

J.R. LÉVEILLÉ

NOSARA

ou le volume de l'identité

roman

ROUGE

LES ÉDITIONS DU BLÉ
SAINT-BONIFACE (MANITOBA)

Les Éditions du Blé remercient le Conseil des Arts du Canada et le Conseil des arts du Manitoba de l'aide accordée à leur programme de publication.

L'auteur remercie le Conseil des arts du Manitoba de son appui.

Il tient aussi à saluer tous les auteurs cités et identifiés (pour l'évidence), les auteurs cités mais non identifiés (pour la surprise), les auteurs pastichés, parodiés ou « palimpsestés » (pour le plaisir).

Les textes poétiques de *Nosara* ont été regroupés sous le titre « Petit intérieur sur paysage. Nature morte. Grand Nu » et publiés au préalable dans le recueil *Les Fêtes de l'infini* (1996), mais ils ont été conçus comme une composante intrinsèque du roman (1993-2003).

Conception graphique : Bernard Léveillé

Œuvre de la couverture :
Henri Matisse, *La Vague*, vers 1952.
© Succession H. Matisse/SODART (Montréal) 2003.
Papiers gouachés découpés, 51,5 x 160 cm.
Collection du Musée Matisse, Nice (France).
Photo de l'œuvre : François Fernandez

Les Éditions du Blé
340, boulevard Provencher
Saint-Boniface (Manitoba) R2H 0G7
http://ble.info.ca

Distribution en librairie :
Diffusion Prologue inc., Boisbriand (Québec)

Catalogage avant publication de la Bibliothèque nationale du Canada

Léveillé, J. R. (J. Roger), 1945-
Nosara, ou le volume de l'identité / J. R. Léveillé.

(Collection Rouge ; 18e)

ISBN 2-921347-74-1

I. Titre. II. Collection : Rouge (St. Boniface, Winnipeg, Man.) ; 18e.

PS8573.E935N67 2003 C843'.54 C2003-911113-X
PQ3919.2.L3977N67 2003

NOSARA

– Allons-y, au sexe.
– Plaisir ?
– Aussi.
– Jouissance ?
– Voilà.
– Extase… Orgasme.
– Mettons-en.
– Corps humides. Sueur ? Odeurs ?
– Vrille dans le vrombissement. Vulcain dans la vulve. Flac floc mouillé. Glu dans la glaise, bouche de foutre, coulissement de couleuvres, puits de pétrole, face et cul...
– Un livre là-dessus.
– Un fascicule au moins. Faut mettre le paquet. «*I wish it were bigger and fatter and longer and juicier: I wish you would break it off and leave it in there: I don't care how many women you've fucked, I want you to fuck* me, *fuck my cunt, fuck my ass off, fuck and fuck and fuck.*»
– Qui est cet auteur ? Ça me dit quelque chose.
– Un aquarelliste, mort en 1980. Tu étais à peine adolescente. «*When I tried to draw it out she got frantic. "Don't ever take it out again," she begged, "it drives me crazy. Fuck me, fuck me!" I held out on her a long while. As before, she came again and again, squealing and grunting like a stuck pig... I would draw it almost out and roll the tip of it around the silky soppy petals, then plunge it in and leave it in there like a stopper. I had my two hands around her pelvis, pulling and pushing her at will. "Do it, do it," she begged, "or I'll go mad!" That got me. I began*

to work on her like a plunger, in and out full length without a let-up, she going Oh-Ah, Oh-Ah! and then bango! I went off like a whale.»

– Bingo! *Big dick! Moby Dick!*

– Faites vos jeux!

– Outil. Machine, quoi?

– Mécanique, huile pour le moteur. «*She clung to me like a leech, wiggling her slippery ass around in a frenzy of abandon. I felt the hot juice trickling through my fingers. I had all four fingers up her crotch, stirring up the liquid moss which was tingling with electrical spasms.»*

– Ok. Business.

– Très bien. «*Her crotch was up against my lips. I slid her ass over my head, like you'd raise a pail of milk to slake your thirst, and I drank and chewed and guzzled like a buzzard.»*

– Appétit. Soif. Faim et fureur de faim. Passion.

– Ça aussi, mais comme un vautour sur une charogne. «*Lying there like a sack of oats, panting, sweating, utterly helpless, utterly played out that she was, I slowly and deliberately rammed my cock back and forth and when I had enjoyed the chopped sirloin, the mashed potatoes, the gravy and all the spices, I shot a wad into the mouth of her womb that jolted her like an electric charge.»*

– C'est ça, le cadavre de la passion?

– La loi de la jungle! «*O God, I want him to fuck me like he would a cow. O God, I want to fuck and fuck and fuck.»* En affaires, on est toujours rapace. Gros ou petit, ma chouette, on ne vaut rien, ou bien tout. Vaut la peine de faire un tour par là.

– Fond ténébreux de l'origine, n'est-ce pas? Bourbe, boue. Pas d'embarras dans le bourbier! Flaque. Le corps de l'esprit au fond.

– Exact. Chaos d'abord, puis direction. «*He's got his head between her legs, now, his tongue is hot...the juice is flowing and she feels hornier than she ever felt... she presses her cunt against his mouth; she feels it coming, she squirms and wiggles, gasps, she pulls his hair... Where are you? she screams to herself. Give me that fat prick!... in the dark her hand slips like an eel into the bulging fly, cups the fat swollen balls, traces with thumb and finger the stiff chicken neck of the penis where it dives into the unknown; he's slow and heavy and he pants like a walrus!... Get it in, you fuss-pot! Not there – here!... Oh, that's good. Oh! Oh! Oh God, it's good this way, keep it in, hold it, hold it. Get it in deeper, push it in all the way... there, that's it, that's it... Easy now, easy!... Oh Jesus, it's coming. Move you bitch! Give it to me... faster, faster. Oh, Ah, Sis, Boom Blam!»* Direction routière. Panneaux de signalisation. Action directe, efficace. Puis, éruption. Jérusalem céleste qui descend du ciel. Petit salut du chapeau à la famille : *Sis, sister.* Mais explosion à l'américaine. 75 000 spectateurs dans le stade. *Sis, Boom, Blam.*

– Événement sportif.

– Les Olympiques. Mais explosion avant tout, pas de mièvrerie, cajoleries, sentimentalité. Seulement ça. *It.* La chose. L'affaire. Ça.

– *Business* encore. *Buzy business. Buzz, buzz, bzzz.*

– *«It was fast clean work after that – no tears, no love business, no promise me this and that. Put me on the fucking block and fuck!»*

– Qui a écrit ça ? Pas un aquarelliste ? Non, vraiment !

– Le Casanova de Brooklyn.

– Miller ! Henry Miller.

– Le titre : *Sexus.* Œuvre en trois parties : *Sexus, Plexus, Nexus.* Sexe ; Plexus solaire ; Rien. Une trilogie. Une trinité. Titre général : *The Rosy Crucifixion.*

– Beau titre.

– Et comment ! Il est né un 26 décembre. Je vois la crucifixion en rose. Écrite à compter de 1942, certaines parties interdites aux États-Unis. Comme son premier livre d'ailleurs, *Tropique du Cancer*, publié à

Paris en 1934 et immédiatement interdit dans les pays de langue anglaise, 27 ans aux U.S.A. Notoriété garantie.

– N'est-ce pas Mailer qui a dit que Miller est un des plus grands romanciers du siècle ?

– *Sí.* Valable partout, pour tous les temps. Mais Durrell est plus radical : «*American literature today begins and ends with the meaning of what Miller has done.*» Pas mal pour un écrivain qui n'a été reconnu dans son propre pays que 70 ans après sa naissance, près de 30 ans après son premier livre et 20 ans après son retour d'« exil » à Paris. Sans Miller pas de Mailer.

– Mais Miller, chaque fois qu'il ouvre une porte, il se braque la binette.

– La pinette ?

– Même chose. Macho machisme. *Machine business!*

– *Monkey business.* Le sexe, c'est sa mise en scène. Voilà l'acteur qui apparaît. Qui improvise, change le dialogue, s'écarte de l'objet de la pièce. Dit Ça et Je. Je suis ça. Bélier. Il fonce. Le féminisme en fait son bouc émissaire. Dire le physique ou encore la physique de l'amour sans morale voilà ce qu'on ne lui pardonne pas. Tu sais ce qu'il dit de la morale dans un merveilleux petit livre intitulé *L'Immoralité de la Moralité* ? « Qu'est-ce qui est moral et qu'est-ce qui est immoral ? Personne ne peut répondre de façon satisfaisante à cette question. Non pas parce que la morale évolue sans cesse, mais parce que le principe sur lequel elle est fondée est artificiel (*« factitious »* en anglais). La moralité, c'est bon pour les esclaves, pour des êtres sans esprit. Et quand je dis sans esprit, j'entends le Saint-Esprit. »

– Son péché ?

– L'écriture. « J'écris, écrit-il, c'est cela l'important. Non pas ce que j'ai écrit, mais le fait d'écrire en soi. » Dire le physique du corps de son esprit. Le bijou de la boue. Dans la merde du monde, où bande la verge de l'immonde, la verve sort de l'onde. *Wavelength*. Big Bang. Verbe fait chair.

– Péché véniel ?

– Mortel. Péché de la joie. Glorification contre abomination. «*Joy is like a river, it flows ceaselessly. It seems to me that this is the message which the clown is trying to convey to us, that we should participate through ceaseless flow and movement, that we should not stop to reflect, compare, analyse, possess, but flow on and through, endlessly, like music. This is the gift of surrender, and the clown makes it symbolically. It is for us to make it real. At no time in the history of man has the world been so full of pain and anguish. Here and there, however, we meet with individuals who are untouched, unsullied, by the common grief. They are not heartless individuals, far from it! They are emancipated beings. For them the world is not what it seems to us. They see with other eyes. We say of them that they have died to the world. They live in the moment, fully, and the radiance which emanates from them is a perpetual song of joy.*»

– Je ne suis pas de ce monde.

– Je ne suis pas du tabou ; pas de ta boue.

– Rien à façonner ? Rien à observer ?

– Qu'est-ce qu'un bonheur qu'il faut trouver ? Qu'il faut nommer ? Il arrive sur nous. Comme ça. À l'improviste. Emportement de rocailles. Vaille que vaille. À vau l'eau. Vanité des vanités.

– Mais il a vraiment fait des aquarelles ? On s'imagine plutôt des toiles dans le genre de celles de De Kooning.

Bijou de boue. Debout. Braqué. Fou braque.

– Tu veux lire ?

– Certainement !

J'avais quitté ma femme, mes enfants, mon poste au musée, je m'envolais vers l'Amérique centrale avec Sarah, une photographe rencontrée à New York dix ans auparavant, avec laquelle j'ai collaboré à un livre. Quitté mes enfants, c'est vite dit. Une fille et un garçon, jeunes adultes. Dans ce cas, il est toujours préférable, pour l'éducation du jeune homme, que la fille soit l'aînée. Elle, en voyage, quelque part en Europe ; lui, au collège. Adorables, d'ailleurs ; malgré nous. Ce qu'il y a d'étonnant, c'est cette possibilité d'individualité réussie dans un fouillis de contraintes psychiques et physiologiques.

Ma femme et moi avions essentiellement vécu, avec des sursauts d'amour, et beaucoup d'affection, une histoire aveugle, celle de tous les époux du monde, celle de leurs parents – les fautes des ancêtres revisitées sur la tête des enfants. Séparation à l'amiable ? Presque. On la croyait nécessaire. Elle l'était. J'avais perdu toute l'intuition du bonheur qui était ma nature.

Quant à elle... Je ne parle jamais pour les autres.

J'étouffais. C'était comme les crises d'asthme de mon enfance. Quel symptôme que la nature individuelle !

Pourtant, je m'envolais vers le Costa Rica, cette côte riche, pour – et cela allait bien au-delà d'une famille – laisser surgir un maximum de sujet dans le magma du monde.

Un mot sur Sarah. Superbe.

Les jambes avec les mots s'ouvrent
dans la promesse du rose à l'horizon
Pacifique. L'étendue des plaisirs,
n'oublie pas, est mobile
comme le vent qui parade. Je parle
une langue suave qui ne t'est pas
inconnue. Croyance aux arpèges
des soupirs dans l'extase de l'écume.

Villa Lux. Majestueuse, luxueuse. Petit prix. Gérée par la municipalité « écolo » de Nosara. Louée à un diplomate français réaffecté en Arabie. Question de pétrole ou d'aéronautique sans doute.

Je regarde la mer devant moi. Ciel. Fuite à l'horizon. Puis les vagues incessantes. Sable et nuages : illusion. Écume des vagues. Bruits et rumeurs. Et rumeurs de rumeurs. Le son me vient par volumes. Le volume en litres, en poids. En rythmes de mesure. Toile de la mer, canevas du ciel, vaste nappe pour le support du son. Et en gestes rapides ou appliqués, sourd vacarme ou crachats d'oiseaux. Mouvement du son. Quelques croches. Tapis d'arpèges. Volutes du rire écumeux qui vrombit comme si l'univers allait sortir de son chaos. (Théorie du chaos : un papillon à Beijing influence les nuages à New York, ou entraîne un krach à la Bourse. Merveilleuses stratégies de terrorisme littéraire dans le Système.) Tumulte de retombées. Claquement. Forêt de pianos. Torchon, vite, sur cette cacophonie ; en faire une étendue. Petit coin ouvert. Qu'est-ce qui vient là ? Une croche. Comme un accroc. Dans le lin de la toile. Le lin du lit. Jusqu'à la lie. Socrate et Cie. Vinaigre. Ciguë. Aperçu. *Glimpse*. « Salut à lui, chaque fois que chante le coq gaulois. » Pierre roulée devant le sépulcre. Voile du temple déchiré. « Dès aujourd'hui tu seras avec moi dans le Paradis. » Clavecin sans clavier. Seules les cordes qui vibrent. Comme l'air d'un air. Atmosphère du silence. Seraient-ce des cordes ? Violons sans archet ? Flèche sans archer ? L'arc de la courbe d'une voix. «*But the Lord was not in the wind: and after the wind an earthquake; but the Lord was not in the earthquake: and after the earthquake a fire; but the Lord was not in the fire: and after the fire a still small voice.*» Infime, moléculaire, atomique. La particule d'accélération dans le buisson ardent. Je passe par le chas de l'aiguille du mur du monde. Loin derrière moi le mur du son. Ici. Soudain. Rien. Et tout. Comment dire ? J'entends l'indicible qui me parle. Je veux. Je suis l'entendement. Point de pomme au cœur de l'arbre de la science du Bien et du Mal. Belle farce. Fatrasie. Pépin de moi. Je suis dans les pépins ? Caprice ou ennui ? Mais non. Pépite. Pépiement. Les oiseaux des champs. Ça c'est le bouquet. Béatitude. Sommet de la montagne. Ou nadir de l'abîme. Où je m'abîme. Et plonge et replonge. Je ne vais pas. Je ne viens pas. Je me tais. Je crie. J'écris. Et tout s'entend. Et tout sans temps.

– *What is the sound of one hand clapping?*
– *The only sound one ear.*

Ok. Boum. Bam. Volcan au loin. Tambour. Coup de théâtre. Lever de rideau. Fouet de l'air. Gifle de sonorités. Tam-tam temporaire. Brisures de bruits. Vacillement de vacillations. Couche sur couche de bleu et de bleus et d'azur de marine de lapis-lazuli. Indication d'indigo. Blanche crête de Vénus. Coquille, miroir de la petite huître entre les jambes. Nuages d'assomption après ascension. Ciel. Eau. Sable. Granules pour les huîtres à venir. Confection. Expulsion. Puis je me suis reposé. Loin d'où j'étais. Là où je suis. Inattentif à ce qui vient. *Idem*. Belle idée. Hippocampe de la mémoire retournée sur elle-même au gré de la selle de la mer.

De glorieux oiseaux trompettent
les couleurs qu'ils portent au jour.
Vastes oiseaux en surveillance
sur la plage du réveil. Tu penses :
manger fruits dans le colimaçon
des marches de pierre ; j'écris :
les phrases se lèvent avec la paresse
de l'arôme du café. Nous disons
ensemble : encore un petit retour
dans la nuit. Hommage à Gide
qui a soif de gourmandise.

– On va à la plage ?
– J'ai faim.
– Trente minutes de soleil. Baignade.
– Puis bouffe et rasades.
– Justement.
– On a tout le temps.
– Entre l'aube et l'aurore.
– Et un peu plus.
– Soleil à six heures ; nuit à six heures.
– Puis avant, brise du matin ; vent du soir.
– Quelle plage ?
– À gauche, Guiones ; à droite...
– Pelada.
– À Pelada, il y a un petit *soda* qui sert du poisson frais. Mais à Guiones, sable parfait. Longue plage. Palmiers.
– On fait une promenade jusqu'à la courbe, puis on revient vers Pelada. D'accord ?
– Baignade. *Bodysurf*.
– On escalade le rocher. Petite chaleur.
– Puis de l'autre côté, un autre saut dans l'eau.
– Jets de mer entre les roches.
– Douche de nature.
– Puis *Olga's Bar*.
– Drôle de nom, tu trouves pas, pour un *soda* ?
– Beaucoup d'Allemands dans le coin, mais là, c'est *típico tico*.
– Olga, c'est la propriétaire ?

– La cuisinière. Le propriétaire, c'est le gros sur le tabouret au bar.

– Excellente, la *ceviche*.

– Comme toujours.

– Ils achètent les poissons de ces pêcheurs qu'on voit au large ?

– Oui. Une tradition. Et aussi des jeunes qui pêchent avec de petits filets dans les lagons que forme la marée.

– On peut en acheter ?

– *Sí*.

– Pour ce soir ?

– Oui. *Pescado frito*. Petit feu sur la plage.

– Vin ?

– Régional, pas très bon. Mais bouteille à la mer. Long lasso. Rafraîchissement.

– Une autre bière avant le retour ?

– D'accord. *Dos otras cervezas Imperial por favor*.

– Après ?

– Comme tu veux.

– Je lis au balcon.

– J'écris au lit.

Tout tient dans cet espace formé par la modification des éléments.

Sámara. Ici les étoiles portent
des robes de dentelle. Je t'embrasse
sur les quatre lèvres, je veux entendre
toute ta voix qui s'abandonne
et qui m'oublie et qui
dans cet écoulement de l'oubli
est une confiance dans la grâce
de l'excès où l'abandon des sens
est la disparition de nos identités
dans la singularité du monde.
Guiones. *Là, rideau de verrerie*
au balcon de la nuit.

Quand le narrateur était jeune, il était souvent malade. Atteint de maladies du souffle : crises d'asthme aiguës, bronchites, allergies. C'étaient, avait-il noté plus tard, des maladies d'écrivain. Proust, évidemment, un vaste tracé, une immense respiration (*respirare* : revenir à la vie ; mais aussi, *spirare* : s'exhaler, comme un parfum de fleur) pour émerger de l'étouffement. La mémoire, au fond, est un asthme. À la recherche du souffle perdu.

Malade, il inventait des histoires de royaumes et de palais. Rien que l'âme de la noblesse pour le corps du moribond. Histoires de princes et de princesses ? Le jeune prince était apparemment tout entier consumé par la quête de la princesse. Non, plutôt des récits de Saint-Graal, cette quête étant son écriture. Des histoires de ciels et de paradis, au fond. Il rédigeait de petits contes qu'il illustrait. Souffle court, il voulait concrétiser le plus rapidement ces évocations d'un corps nouveau. Il écrivait. Il illustrait. Il brillait. Des activités banales, en apparence. Celles de tous les enfants. Mais sa véritable maladie, c'était l'écriture. L'écriture comme vaccination ? Voilà une idée. Dérèglement de tous les sens. « Il cherche lui-même, il épuise en lui tous les poisons, pour n'en garder que les quintessences. Ineffable torture où il a besoin de toute la foi, de toute la force surhumaine, où il devient entre tous le grand malade, le grand criminel, le grand maudit, – et le suprême Savant ! – Car il arrive à l'*inconnu* ! »

Ces maladies respiratoires, l'ayant longtemps confiné au lit, mené parfois au seuil de la mort, lui ont donné tout le loisir de l'écrit et du dessin, le geste, le tracé : le rêve fait corps. L'incarnation. Comme si – mais il ne le savait pas encore – l'expulsion du paradis terrestre (de la santé) était la véritable porte du bonheur.

J'étais venu au Costa Rica pour quoi ? Écrire un livre. Sans doute. Mais quoi ? L'histoire de mon voyage ? Plaisant, mais plutôt banal. L'histoire du livre ? Oui, mais justement...

Avant tout, j'avais choisi le soleil, l'été. Les plages ont toujours été pour moi un espace sans lieu où j'ai pris le goût de l'infini ; un moment où l'éternité même est suspendue.

Sarah dit toujours : L'éternité, c'est beaucoup trop de temps. Elle est photographe, bien sûr !

Alors je me suis dirigé vers Nosara, un de ces lieux, au cœur du monde, où l'on retrouve sa singularité. Je savais que le livre était là ; quelque part entre un voyage et un souffle. Le climat, après tout, est une expérience intérieure naturelle.

L'écriture, c'est très précisément cette expérience physique. En 1926, Werner Heisenberg a formulé son principe d'incertitude en mécanique intra-atomique selon lequel il est impossible de mesurer à la fois la position et la vélocité d'un corpuscule. L'astrophysicien Stephen Hawkings, un véritable génie de notre temps (et qui prouve que le corps est autre chose qu'on ne le croit), explique que « pour prédire la situation future et la vitesse d'une particule, on doit pouvoir mesurer sa position actuelle et sa vitesse avec exactitude. Pour ce faire, il faut l'éclairer. Quelques ondes de cette lumière incidente seraient éparpillées par la particule en question, indiquant ainsi sa position. Cependant, on ne sera pas capable de déterminer cette position plus exactement que la distance entre les crêtes d'ondes de la lumière, aussi aura-t-on besoin d'utiliser une lumière de courte longueur d'onde pour obtenir une mesure précise. Selon l'hypothèse quantique de Planck, on ne peut cependant pas utiliser une quantité arbitrairement petite de lumière et l'on doit faire appel au moins à un quantum. Celui-ci dérangera la particule et modifiera sa vitesse de façon imprévisible. Mais, plus on voudra mesurer la position précisément, plus la longueur d'onde de la lumière dont on aura besoin sera courte et, partant, plus l'énergie du quantum requis sera élevée. Aussi la vitesse de la particule sera-t-elle fortement perturbée. En d'autres termes, plus vous essaierez de mesurer la position de la particule avec précision, moins vous disposerez d'une valeur précise pour sa vitesse et vice versa. Heisenberg démontra que l'incertitude de la position de la particule multipliée par l'incertitude de sa vitesse multipliée par la masse de la particule ne peut jamais être plus petite qu'une certaine quantité que l'on nomme la « constante de Planck ». De plus, cette limite ne dépend pas de la façon dont on essaie de mesurer la position ou la vitesse de la particule, ni de son type : *le principe d'incertitude* de Heisenberg *est une propriété fondamentale inéluctable du monde.* » (Je souligne.)

C'est tout le contraire de la linguistique, où la particule est invariable ; en science intra-atomique elle est excessivement variable. Selon. *Igitur*. Barthes ne disait-il pas que « la linguistique énonce bien la vérité sur le langage, mais seulement en ceci : *« qu'aucune illusion consciente n'est commise »* : or c'est la définition même de l'imaginaire : l'inconscience de l'inconscient. »

De même la nudité du corps devant l'appareil photo. On ne peut saisir à la fois la vitesse et la position (Sarah dit : c'est le sens du travail photographique de Horst P. Horst), même si le modèle est au repos. Il ne s'agit pas d'une nature morte (et là encore que de choses à dire), mais de la vitesse qualitative d'une expression, ce que Joyce a appelé, je crois, la courbe d'une émotion. Ce sont ces tentatives qu'on retrouve en art plastique sous le nom de modelage, arabesque. Allons demander à Matisse. Un titre : *Figure décorative sur fond ornemental.* Matisse maintenait que si l'expression était le but de l'art, cet objectif devait être atteint par la disposition de la toile et non par l'étalage direct d'un contenu émotif. À l'opposé de Van Gogh, selon certains. Pas vraiment. On peut dire que Van Gogh saisit la position du corpuscule dans la torsion de sa touche. État d'âme dans la vélocité du corps de la peinture. Et que Matisse détermine la vitesse de la particule dans l'harmonie plastique de la ligne. Vélocité du corps dans le luxe, calme et volupté de l'esprit de la toile. Adieu Einstein ! *God does not play dice.* Bonjour Mallarmé ! Selon ! Igitur ! Un coup de dés jamais n'abolira le hasard. Principe d'incertitude dit aussi relations d'indétermination. Stephen Hawkings : *«Not only does God play dice with the universe, he throws them where they cannot be seen.»* Mystère du fameux trou noir. Mais Matisse ne disait-il pas que le noir était la couleur de la lumière ?

Ainsi, le livre se forme. L'expérience a lieu. Une minuscule pointe qui troue toute l'Histoire qu'elle a traversée, racontée.

« Donc tu te dégages
Des humains suffrages,
Des communs élans !
Tu voles selon... »

C'est le « h », le petit hic de l'Histoire, l'accélérateur de particules dans la Généralité du Monde. Voyez *H* de Sollers, ou déjà ce bouquet de Rimbaud qu'est *Hortense* : « Sa solitude est la mécanique érotique ; sa lassitude la dynamique amoureuse. » C'est clair ? Non ? Au poème suivant donc, dans ce livre dont il faut rappeler le titre : *Illuminations*.

« Le mouvement de lacet sur la berge des
[chutes du fleuve,
Le gouffre à l'étambot,
La célérité de la rampe,
L'énorme passade du courant
Mènent par les lumières inouïes
Et la nouveauté chimique
Les voyageurs entourés des trombes du val
Et du strom.

« Ce sont les conquérants du monde
Cherchant la fortune chimique personnelle ;
Le sport et le comfort voyagent avec eux ;
Ils emmènent l'éducation
Des races, des classes et des bêtes, sur ce vaisseau
Repos et vertige
À la lumière diluvienne,
Aux terribles soirs d'étude.

« Car de la causerie parmi les appareils,
[le sang, les fleurs, le feu, les bijoux,
Des comptes agités à ce bord fuyard,
– On voit, roulant comme une digue au-delà
[de la route hydraulique motrice,
Monstrueux, s'éclairant sans fin, – leur
[stock d'études ;
Eux chassés dans l'extase harmonique,
Et l'héroïsme de la découverte.

« Aux accidents atmosphériques
[les plus surprenants,
Un couple de jeunesse, s'isole sur l'arche,
– Est-ce ancienne sauvagerie qu'on pardonne ? –
Et chante et se poste. »

Le titre : *Mouvement*. Merveilleux accélérateur de particules ! Quel chant ! J'adore ce « et se poste ». Trois temps : mouvement, chant, position. Et chante et se poste : voix bien posée. Quel registre ! « Extase harmonique. » Ainsi l'écriture. Une échappée dans la répétition éternelle du Temps. Enfin, le décor n'est pas si mal, si on sait que décor il y a.

Les méduses jouent au
baroque. Elles avalent le flux
du temps pour le cracher
en coquillages. La tête
de mon sexe surgit à l'orifice
de l'oracle. Rien à dire. «Tout
est consommé.» À l'horizon,
les baleines poursuivent leur apparence
millénaire. ¿Cielo alto? *Non! une*
tapisserie sur le théâtre de la mer.

Je rentre de la piscine. Matin bleu, légèreté dans l'air, odeur subtile des grands flamboyants. Sarah assise en odalisque dans le fouillis des draps, le blanc avec la petite bande carrelée limon, le pêche avec ses entrelacs de lilas et de rose – drôle de mélange. Drôle de ménage. Elle se rase le pubis. Service offert au bikini. Toison roussâtre de plus en plus mince. Petit bouquet garni à la sauce caramel.

– J'ai fait du café.

Elle ne relève pas la tête, poursuit sa tâche méticuleuse avec le *Lady Schick*. Puis mousse à barbe et rasoir. Je me verse une tasse, du Monteverde; les pépins ont poussé dans la région de cette forêt de pluie. Je m'assois. J'observe le petit rituel d'été. La couture du plaisir maintenant presque entièrement exposée. Chair de la couleur de la châtaigne – qu'on voudrait mordre dedans – dévoilant le rosâtre des lèvres intérieures. Mouvement de la jambe. Petite béance. Davantage écartée. Il faut traverser le périnée pernicieux, vers l'immondice merveilleuse. Je sais pourquoi on appelle minou ce chas par où on ne peut pas ne pas passer!

Sarah rabaisse un peu la jambe droite. Elle a terminé son travail.

– Tu me verses une tasse?

Versée. Elle reste à peu près dans sa position de lotus, une jambe relevée, tasse posée sur le genou replié. Équilibre précaire. Elle me parle. Je regarde cette petite toison divine, ou satanique, selon le goût du jour; elle prend maintenant l'apparence d'une barbiche de chèvre – écho de Pan dans ce moment quand bien même éternel. Les chairs se sont un peu plus entr'ouvertes, dans la détente de la séance d'épilation sans doute, une petite bouche qui butine les plis des draps. Je les sens dans leurs moindres mouvements coller au tissu. Dans le lacis corail, les labiées se camouflent comme les insectes dans la nature. Après tout, elles sont dans le lit de leur élément, n'est-ce pas ? « Et, dans ses jambes où la victime se couche, Levant une peau noire ouverte sous le crin, Avance le palais de cette étrange bouche Pâle et rose comme un coquillage marin. » Chères labiales.

Il existe une grande tendresse dans la biologie, et une perpétuelle violence dans la nature.

Je revois certaines gravures de Matisse, de 1929. Dans la plus grande exubérance de la ligne, le sexe des modèles semblent peu marqué. Matisse l'a camouflé, ou plutôt exposé dans son essence. Cette *Tête de jeune fille avec deux poissons rouges*. C'est une jeune fille en rêve. En rêve de femme. Les deux poissons sont ses deux seins, dans le bol de la maternité. Payons l'obole. Cet *Intérieur : Jeune fille et fruits*, un monotype de 1914-1915, celui-là. Ici, encore, la féminité de la jeune fille en fleur (en fruit) est projetée hors d'elle. Cet intérieur est un extérieur. L'intérieur (la maternité, la féminité) est reproduit à l'extérieur, dans le monde ; est un projet du corps dans le corps qui un jour sera projeté de l'intérieur du corps dans le monde. Il faut noter en particulier les deux fruits qui hérissent leur mamelon. Puis l'arabesque du support de la table en profil de seins maternels. *Jeune femme aux yeux noirs regardant un aquarium* : la rondeur du bol et les eaux de la maternité. Le poisson téton et le poisson spermatozoïde. *Jeune femme, poisson rouge et nappe à carreaux* : les yeux en rêve ou en jouissance. Le poisson dont l'œil se déforme (spermatozoïde). Un deuxième poisson en forme de Vénus antique. La preuve : un *Nu au miroir marocain*. Dans cette gravure, les éléments (bol, eau, poissons) ne jouent pas de la même façon. Il ne s'agit pas d'une fille ou d'une jeune femme en herbe, mais d'un nu. L'aquarium est nettement en vue, mais il n'est pas sym-bol. Les poissons difformes se perdent dans la végétation décorative des fleurs. Il s'agit d'une femme. Adulte. Le miroir ne reflète rien.

Petite session rapide. Hommage à Picasso, transformation à la Matisse en passant par De Kooning. Elle me retire mon maillot. *Rat-a-tat-tat*. Surface contre surface. Flac floc. *Rápido*. *Presto*. *Pronto*. Efficace. Lèche, suce, mordille, *gobble*, *gobble*, puis retire sa bouche.

– T'as le boyau tout gonflé, plus que d'habitude.

« Avec Aline, y faut qu'ça pine ; avec Thérèse, fraise contre fraise, faut pas qu'ça niaise. » Elle se retourne, à quatre pattes, toute mouillée déjà, grande cataracte de l'aveuglement qui vient, elle prend ce cou de dindon tout raidi, l'enfonce brusquement, pompe, en veut plus, me saisit la main, la dirige vers l'anus et la longueur de la fente – jamais assez de doigts ! Pousse, pousse, flac, floc. Simultanéité ! Synchronisme ! Deux bolides en collision dans l'espace minuscule d'un réacteur naturel. Grande flaque brune du café basculé dans le jardin des draps. L'évacuation du plaisir. Le passage d'une signature.

La région de Nosara où j'ai élu refuge pour cette échappée du sujet que je voulais accomplir a été habitée par la plus importante civilisation précolombienne du Costa Rica, celle des Indiens Chorotega dont les ancêtres avaient émigré du Mexique au XIIIe siècle. Ils cherchaient à échapper à leurs ennemis qui voulaient les réduire à l'esclavage. Le nom Chorotega signifie « ceux qui fuient ».

Le petit village de Nosara que quelques pêcheurs alimentent toujours de poisson frais tient son nom de la rivière Nosara qui le tient à son tour d'une jeune et splendide Indienne Chorotega. Fille de Chef, Nosara avait épousé un jeune guerrier d'une autre tribu, du nom de Curime. Bien qu'étranger, Curime s'était vu confier la garde des statues d'or qui faisaient la réputation des Indiens Chorotega.

Une nuit de nouvelle lune, une tribu ennemie attaque le village. Pour protéger les statues et conserver l'intégrité de son jeune époux qui aurait pu être soupçonné de trahison, Nosara se tranche les poignets. Sacrifice humain. Intervention divine. Il est dit que le sang qui a coulé de ses veines a formé l'eau de la rivière. Mer Rouge. Les eaux avançant ont empêché les attaquants d'atteindre le village. Croix précolombienne. Sang-eau-vin. Transsubstantiation. Cana : le prix des noces.

C'est pourquoi aujourd'hui encore, il faut passer à gué plusieurs petites rivières avant de parvenir à cette région. Durant la saison des pluies, il faut s'y rendre en 4X4, si on espère traverser. Comme quoi, ces rivières testent l'intention du voyageur.

Les Chorotega produisaient des céramiques rouge et noir, décorées de dessins de serpents ailés symbolisant l'unité de l'esprit et de la matière.

Les hommes avaient le droit de se promener nus, et les femmes portaient des jupes dont la longueur relevait de la classe sociale. La terre appartenait à tout le village et la récolte commune se partageait selon les besoins afin de subvenir à ceux des vieillards et des veuves avec enfants. Les Chorotega vivaient dans des villages qui pouvaient comprendre 20 000 personnes. Au centre du village, la place du marché et un lieu de culte. Comme c'est encore la coutume dans certaines régions de l'Amérique centrale et du sud, seules les femmes avaient le droit d'entrer au marché.

Accrochée au mur de la villa, *Le marché de Masaya*, une magnifique litho d'Amighetti, l'un des grands artistes du Costa Rica.

Aujourd'hui, tous ces petits villages ceinturent une place centrale occupée par un terrain de football.

Le plus intéressant, c'est que les Chorotega écrivaient leurs livres sur un parchemin fait de peau de chevreuil, et qu'ils tenaient aussi un calendrier de rites. Légendes. Jeunes vierges. Sacrifices humains à la bouche des volcans. Purification dans un festin de chair humaine.

Les Indiens Chibcha, eux, ont émigré de la Colombie vers le sud du Costa Rica. Ils ont construit d'immenses fortifications pour protéger leur or qu'ils façonnaient en représentations de requins, de tatous, de tortues surtout.

Culte du vautour aussi. Cadavres. L'oiseau libérateur de l'âme. L'au-delà. Puis grand mystère : les Chibcha ont fabriqué des sphères de granite parfaites, variant de 7,5 centimètres à 1,8 mètre, méticuleusement alignées dans la vallée de Río Térraba et sur l'Isla del Caño.

L'équateur ne mesure pas
et tous les vautours du ciel
n'arriveront pas à retirer
ma foi dans l'été. Impondérable.
Incommensurable. Incomparable.
La brise du Pacifique se lève
sur l'éventail du plaisir (Mallarmé
parle aux dames). Perroquets
à ma porte. Je me tais.
Loquela. On *dit que le style,*
c'est l'homme.

Au centre de la terrasse ; en plein cœur du soleil. Sarah qui revient de la plage.

– Ça va ?

– Ça va !

– Soleil ?

– Illumination ! Et toi ?

– Ça va !

– Mer ?

– Tu sais que j'adore le bleu.

– *It's in your jeans*.

– Tu parles américain maintenant ?

– Toujours.

– Pas des jeans. *Levi's !*

– Et toi, tu parles Yiddish.

– Moi ?

– Lévi. La tribu. Les mots de la tribu. La secte des prêtres. Les écrivains. Grands codificateurs. Bible.

– Je vois. Avant, on avait ça à cœur. Maintenant, on a ça au cul.

– Veau d'or !

– Non ! Ça, c'est plutôt *Wrangler*.

– Mais je ne me dispute jamais.

– Je sais. Tout laisser couler. Et le roman ?

– Ça vient.

– Pas trop de références littéraires ? *Right ?!*

– Tu sais, c'est comme l'ail. On ne peut jamais trop en mettre.

– Mais une bonne sauce, c'est dans l'équilibre des ingrédients non pas dans l'exaltation d'un piment.

– Juste, mais l'ail est un vampiricide. Une pure défense. Défense et illustration de la langue française. Tour d'Ivoire. Contre les morsures de la censure, contre les souillures ignominieuses des palabres de bas palais, contre le Babel du babillage bureaucratique, contre la Securitas Systematikos de la littérature. Rien de plus grave qu'une morsure qui ne soit pas mortelle. Zombis du XXIe siècle.

– D'accord ! D'accord ! Alors on prend le lunch sur la terrasse ?

– D'accord ! D'accord !

– Tu peux continuer à écrire si tu veux.

– Je veux bien cesser. Pour le moment.

– Alors je prépare ?

– C'est fait.

– C'est gentil. Et tu as eu le temps d'écrire ?

– Bien sûr. Inspiration. Le chef dans la cuisine. Il goûte en préparant.

– Alors quoi ?

– Tomates et concombres à l'ail.

– Bien sûr !

– Je te disais !

– Alors, rosé...

– Sì... Je termine ce paragraphe.

– Je vais me changer et j'apporte le service.

– Alors mets ton t-shirt Levi's, j'ai envie de me confesser à ta beauté.

– Rien dessous.

– Comme tu dis. Pour le cœur et pour le cul.

– Ça risque de prendre *a very long time*.

– Ça, c'est le temps retrouvé.

– *Longer still.*

– Ça, c'est le paradis.

– *Never enough time for what you'll have to do.*

– J'ai toute l'éternité.

– *Longer still. Your longing still.*

– Alors j'y saute tout de suite. Pieds et poings liés.

– Bon petit bébé, va !
– Machine infernale ! que tu es cultivée.
– Culbutée.
– Culminée.
– Suprême à la crème.
– Sublime.
– Aïe ! Aïe ! Aïe !

C'est l'écriture qui l'a guéri de ses crises d'asthme. À une certaine époque de sa vie, il a pratiqué une espèce d'écriture automatique. Non pas surréaliste. Non pas un rêve éveillé se transformant en la beauté faite femme. Mais une véritable écriture psychique. Une bouillabaisse d'où idées et sentiments sautaient sur la page en traits rapides sans égard évidemment à l'orthographe, la grammaire, la stylistique, la rhétorique ou autres subtilités de la langue ; où les expressions poursuivaient parfois un long cheminement, jamais guidées par aucune activité logique consciente, mais filant au gré de l'humeur de la plume faite sonde. Il était littéralement parti à la pêche de soi-même. Pêcheur d'homme. D'un seul. C'est déjà beaucoup.

C'était, sans supplice, sans sacrifice, sans mission presque, un véritable ministère de l'être. Il administrait la grâce de son inconscient. Il était ministre dans le sens où Mallarmé qualifie l'écrivain d'*opérateur*. Un travail de saint.

Il n'a pas conservé ces cahiers de jets improvisés, ces coq-à-l'âne devenus le jeu cliché de la psychiatrie. Après un mot ou deux le scénario se déroulait si vite et clairement dans son esprit – avec cette célérité qui permet au mourant, dit-on, de revoir sa vie passer en un éclair – qu'il lui était impossible d'en noter tous les méandres.

J'avais quatre ans. Je vivais chez mes grands-parents avec ma mère et une tante. Mon père était parti à la guerre. Au front ou à l'arrière, je ne sais. Une autre histoire d'Œdipe pour la psychanalyse. Père manquant, fils manqué, c'est déjà le titre d'un livre. Le revers : Fils incarné, Dieu présent.

Les médecins avaient déterminé que j'étais allergique au poisson. Asthme, suffocation, oppression. Un avantage : pas d'huile de foie de morue pour moi.

La concentration de l'effet symptomatique avait atteint un tel point que je tombais malade uniquement à l'odeur de la cuisson. Crise aiguë avant même que la conscience ait identifié le poisson.

Puis au fil de la plume, soudain, tout est devenu transparent. Le poisson était de rigueur le vendredi ; le vendredi était jour de paie ; les femmes s'énervaient en silence toute la journée, s'inquiétaient à savoir si le grand-père allait revenir, et dans quel état, et surtout s'il avait tout foutu l'argent de la semaine. Résultat typique : tension, reproches, engueulades, dépression ; on m'ignorait.

Un jour, je suis tombé malade. De quoi ? Peu importe. Les femmes se sont affolées autour de moi. On m'a soigné. Le vieux est rentré ; et puis après ! le petit souffre ; il faut s'en occuper. Paix dans la maison. Crise de nerfs échangée contre une crise d'asthme contre une paix psychique. Efficacité du système : le poisson commençait à cuire, je tombais malade ; je crois même qu'à la fin, le simple fait que le week-end approchait suffisait à déclencher la crise. Simplicité de Pavlov.

Le lendemain de cette découverte, il est allé dans un restaurant chinois, il a commandé un poisson grillé. Preuve ! Depuis, il a troqué les mères contre la mer.

– Ce soir, on fait la fête.

– Ici ? dans la plus grande simplicité des apparences ?

– Pourquoi pas ? Apparat pour apparence. Suggestion, subtilité, légèreté dans le poids incommensurable de la nature. Gravité des trésors. Détournement sur la splendeur.

– Je porte quoi ?

– La robe de soie irisée à plis.

– Elle est légère.

– Plis d'éventail dans le décor rococo de la verdure.

– Déjà toute fripée. Rien à repasser.

– Quasi transparente.

– Voile sur la nuit.

– Dessous ?

– Je mets ton slip noir. J'aime tant.

– Pieds nus.

– Boucles ?

– Une.

– À l'oreille gauche.

– C'est le signe.

– Et toi ? Pantalon de lin cuivre.

– D'accord.

– Roulé au mollet.

– Pieds nus.

– Veste de lin jaune.

– Rien dessous ?

– Rien.

– Et le petit bracelet vert magique.

– Poignet droit.

– C’est le signe.
– On sort à pied ou en voiture ?
– On roule à pied sur le bord des rumeurs. On se baigne en route.
– Dans la mer noire.
– Dans la nuit noire.
– « Monsieur Miroir marchand d’habits est mort hier soir à Paris. Il fait nuit. Il fait noir. Il fait nuit noire à Paris. »
– De fait, il est quelle heure à Paris ?
– Paris ? Paris ? Allô. *¡Hola!* Vous m’entendez ? Paris ? Ici le Costa Rica. Le Costa Rica qui appelle.
– Pas de réponse ?
– Ici, nuit à six heures.
– Alors là ?
– Là, deux heures. L’heure des folies, bergère.
– Demain ?
– Demain. Maintenant. Grande toupie du temps. Bal masqué de l’espace. *Hola*, crépuscule du soir. Allô, crépuscule du matin.
– Ils ne se ressemblent pas.
– Pas du tout. Théorie des couleurs chez Gœthe. Il y a une couleur qui ne se voit qu’au crépuscule du soir.
– Ah ! Crépuscule des dieux !
– Tiens là, dernière bande ondoyante de ta robe !
– Alors, on dîne ? ou on se baigne ?
– On dîne, ici, ondine.
– Breton !
– Le magnétique.
– L’amour fou.
– Toujours.
– Fais voir ta main.

Pantomime de la jungle dans un
ciel de mangue. J'imagine
que je suis le fauve du vent
sur la vague de ton corps. Je
passe et ne reviens plus et
reviens encore. Belle obsession
(Monet a mis le doigt dessus
à Saint-Georges Majeur): baiser
aux deux crépuscules. Silhouette
des tropiques sur le ciel de goyave.

La première fois que j'ai rencontré Sarah, j'ai trouvé qu'elle avait un vrai talent ; de merveilleuses aptitudes à l'amour. Je suis venu dans sa bouche. Elle a continué de me lécher un peu... elle a remonté le ventre, puis elle est venue tout contre mes lèvres y enfouir la langue et cracher mon foutre. Elle riait. Coussins rouge et rose. De vrais rubis. Puis rideau d'ivoire. Je l'ai renversée, j'ai chatouillé le nombril du bout de la langue, remonté son ventre, l'ai embrassée, lui ai renvoyé mon sperme. Nous avons traversé les champs magnétiques en faisant l'échange de ce sushi pendant plusieurs minutes avant que je glisse vers le bas-ventre et le lui refile entre les jambes. Œuf à la coque.

Promenade. Devant nous : deux femmes. Quatre chiens. Toutes deux maillot azur. L'une, maillot une pièce, l'autre seins nus. Marche à l'Africaine. Arrêts. Palabres. Chien sur chien. Pélicans au-dessus. Les trois chiens blancs les encerclent. Leur frôlent les jambes. Puis position. Chien brun dans l'eau. Baignade. Enfin toute la troupe ; gambade. Petits éclats de rire. Le jour, qu'elles portent comme un hâle, est une merveille sur elles. L'une plus maigre ; l'autre moins belle, mauvaises proportions. La confidente. Celle à qui on raconte toutes ses aventures, jusqu'au détail le plus intime : « Tu sais le petit *Tico*, avant-hier... Grosse bite. Yeux noirs. Avides. Peau brune, foncée. Baisers durs. Vif. Rapide. Au point. Sperme. Sperme. Beaucoup d'éjaculations. Goût de papaye. »

(Rires.)

« Il t'a parlé ? – Je n'ai rien compris. J'aurais voulu que tu sois dans la chambre voisine pour traduire. – Je pourrais pas. – Bien sûr. Bien sûr.

– Tu as joui ? »

Yeux révulsés.

C'est toujours comme ça. Celle qui suit. La copine qu'on taquine, qu'on rend envieuse. La chienne. Elle se laisse traiter ainsi. Un peu d'affection indirecte, voilà tout ce qu'elle demande. Une caresse qui lui effleure la peau. Qui lui donne le sentiment d'un corps autre. Pourtant, quel nez ! Si elle avait le flair de l'habiter.

« Tu aurais aimé ça, c'était... »

Gêne. Mais raconte, dis-m'en plus. Viens par ta parole, ta langue, dans mon oreille, que je jouisse par interposition. Je veux bien. Ouïe ! Ouïe ! Ouïe ! Aïe ! Tu me fais mal. Sourire extérieur.

Puis on laisse l'amie plantée là, sur le sable chaud, au bord d'une magnifique épave. On déambule vers l'eau. Les chiens à la trotte, derrière. Belle file indienne. Peau bronzée. Fierté de peau-rouge. Fêtes de la faim. Bal d'ivresse. « Des Peaux-Rouges criards les avaient pris pour cibles, Les ayant cloués nus aux poteaux de couleurs. »

– C'est pas pareil.
– Si ! C'est le rythme d'un sentiment. La couleur d'un volume. Donc attitude. Altitude. Envolée. Pose de magazine de mode, mais avec un soupçon d'autre chose, intrusion qui fait basculer le monde – en est-elle consciente ? Peut-être. Doute là-dessus.
Maintenant, à l'aventure.

J'allais faire le point sur ma vie dans l'actualité du décor costaricien. Écrire des poèmes ponctuels pour tout dire. Rien à voir avec la régularité ou l'horaire. Non pas ce qui arrive à l'heure, mais ce qui arrive à point. Toute la différence est là. Non pas en opposition à global ; un point, un élément où l'ensemble se lit chaque fois différemment, mais identique dans cette opération qui consiste à percer la pellicule de la vie. Un prélèvement sur le théâtre des opérations. Non pas une ponte, mais une ponction dans le poncif. Poncif Pilate. Puis, suite à l'événement après l'avènement. Message messianique là-dedans ? Non ! Plutôt messimaniaque. « Je réglai la forme et le mouvement de chaque consonne, et, avec des rythmes instinctifs, je me flattai d'inventer un verbe poétique accessible, un jour ou l'autre, à tous les sens. Je réservais la traduction. » Le véritable sens de la messe noire : non pas une parodie du saint sacrifice, mais une composition musicale (Mozart et da Ponte) sur les paroles des chants liturgiques. Olivier Messianique. Messire Missive. Mystère. Les rayons d'une échelle, ni premiers, ni derniers, ni à descendre, ni à monter, mais une échelle, comme un grand colimaçon retourné sur la spirale de son espèce. Rêve du Bernin. Communion. Hantise du mot. Grécité sans mythe. Colline romaine sans poids. La mesure d'une infinie et impondérable vélocité. La vitesse est tout dans la lecture, comme dans la musique. Je voix, j'entends. La mer dans la coquille. L'enfant de saint Augustin qui veut enfouir la mer dans le trou qu'il creuse dans le sable, je crois en lui. De petites intrusions dans le temps haletant. Comme une chienne en chaleur – le Temps est ainsi, il s'écoule, il mouille, il en veut davantage, il s'exaspère, c'est pourquoi il excite ou il exacerbe, selon. C'est pourquoi aussi tout le monde parle du temps, même Prévert. Après la pluie, le beau temps ; et après ? *Après le Déluge*, beau titre, le début des *Illuminations*. Pourquoi ? quoi faire ? Pour rien ! comme ça ! L'ineffable gratuité de toute chose. Je suis sans mémoire, donc sans temps, le monde m'apparaît tel qu'il est, mobile magnifique, et après moi, la merde. Maître après merde. Merde après Dieu. Cré nom ! Dernière expression de Baudelaire qui savait de quoi ça retournait. « Il m'a paru plaisant, et d'autant plus agréable que la tâche était plus difficile, d'extraire la beauté du Mal. Ce livre, *essentiellement inutile et absolument innocent* [je souligne] n'a pas été fait dans un autre but que de divertir et d'exercer mon goût passionné de l'obstacle. » Projet de préface aux *Fleurs du Mal*.

Au nom du pair et du fil à retordre d'Ariane et du saint pipi. Je passais une saison en Affaires. Pas en économie. Une dépense. Folle dépense où rien n'est récupéré. Tout le contraire de l'expression *sperm bank*, banque de sperme. *Bank on it. If there is money to be made, there is honey to be saved.* Autre expression : *You've got to spend some to make some*. Le bauhaus des USA. *Form is function*. Le style c'est l'homme. Le style, c'est l'homo. *Big big Bic. A flick of your Bic.* Richard s'appelle Dick, Pierre s'appelle Peter, *but he's out*, il n'a pas d'endurance. Et John, eh bien, il n'est toujours qu'un *john*. Fini Jack, allô Jill. *Dick and Jane!* *Me Tarzan. «Welcome to the jungle. I hope you guess my name.»* Après cela, qu'on me le permette, je rêve à une pluie d'encre sur la plus profonde ténèbre de ma page. *Pixie*. Pixel. *Une ténébreuse affaire*, c'est un livre de Balzac. *He had balls!* Assez dit.

Plage sous palmiers. Je te dérobe
à la lecture, tu soulignes le passage
de l'ombre. Jour soudain vierge.
Ah! le vivace et le bel. Je veux
mordre mañana hic et nunc. *Puis*
je laisse faire. Merveille!
L'apparition infinie d'un tunnel
sans profondeur. Cœur *translucide.*
Tu deviens aquarelle sur le parchemin
des molécules. Bave de bulles. Basse
de basalte. *Magnifique feuilleton*
des apparences. Fiction des fictions.
« Beaucoup de petits mensonges pour
une grande vérité. » – Bonnard

– Il faut que tu en parles ?

– Oui. Que j'arrive à donner forme, même de façon insatisfaisante à toutes ces impressions qui jaillissent en moi.

– Et qui continueront.

– Sans doute pendant des années. Elles continueront de m'habiter, d'éveiller en moi le souvenir de ces étendues et de ces volumes, de ces sons ; tout cela comme la mémoire concrète de la nature qui se remémorera en moi, comme elle réussit déjà à soulever des fantômes de ma vie passée.

– Quand je fais une photo, c'est pareil. Ce qu'il y a devant moi est à la fois nouveau, et comme la trace d'une histoire.

– Une mémoire future, pour ainsi dire.

– Oui, justement. Le point d'arrivée d'un long parcours. Pour moi, cette nouveauté est un rappel, rappel d'un mouvement, d'un murmure du passé qui tient à se dire, même de façon confuse, à ce moment-là, et qui trouve son point d'apparition, son point de rencontre dans cette autre mémoire devant moi. J'ai là le sentiment, la confirmation que la prise est juste.

– C'est un agrément, en tous les sens du mot.

– Voilà.

Alors, je commence à tenir cette promesse, qui est, non pas une obligation, mais un cadeau, un penchant naturel à lire et à dire, au moment propice, l'enchantement soulevé par tout ce qui m'entoure, qui n'est que l'écho d'un enchantement originel, ou, tout aussi bien, l'enchantement originel. Lorsqu'on entre dans le volume, l'étendue est un point, l'espace une note, le temps une harmonie. Tout cela apparaissant dans de fulgurants plans, passant par des zones intenses, ou même encore dans la courbe d'une image médiocre, ou la belle arabesque d'une banalité. Ah ! vous serez pêcheurs d'hommes. À la ligne. À la ligne. Ligne. Pinceau. Encre. L'horizon naissant comme un nénuphar. Dessins d'Hokusai.

Ou ceci : « Le jardin de Daubigny avant-plan d'herbe verte et rose. À gauche un buisson vert et lilas et une couche de plante à feuillages blanchâtres. Au milieu un parterre de roses, à droite une claie, un mur, et au-dessus du mur un noisetier à feuillage violet. Puis une haie de lilas, une rangée de tilleuls arrondis jaunes, la maison elle-même dans le fond, rose, à toit de tuiles bleuâtres. Un banc et trois chaises, une figure noire à chapeau jaune et sur l'avant-plan un chat noir. Ciel vert pâle. »

Description, dit Artaud, simple, sèche, objective, durable, valable, solide, opaque, massive, authentique et miraculeuse. Et de son auteur : « Aussi grand écrivain que grand peintre et qui donne à propos de l'œuvre décrite l'impression de la plus abasourdissante authenticité. »

Van Gogh a peint, parmi ses dernières œuvres, trois *Jardin de Daubigny*. La première, toile carrée, datée de la mi-juin 1890, représente une section seulement du jardin. Les deux autres tableaux, de grands formats rectangulaires, peints en juillet reprennent à peu près la même scène, plan plus rapproché dans l'avant-dernier où la maison est blanche à toit de tuiles verdâtres. Et le chat ? où est le chat de la dernière toile ? Le seul des trois tableaux où Van Gogh a inscrit le titre *Le Jardin de Daubigny*, en lettres noires dans le coin droit, en bas. C'est dans cette direction qu'avance à pas bien félins le merveilleux chat noir – une des plus remarquables bêtes de toute l'histoire de la peinture – qui trône, par son passage, comme celui de Manet dans *Olympia*.

Artaud ajoute au sujet de cette « petite Lettre », la dernière (23 juillet 1890) que Vincent adresse à son frère Théo : « Qu'il semble facile d'écrire ainsi. »

Van Gogh meurt quelques jours plus tard.

Comment ne pas aller boire à la source lorsqu'on jaillit de la source. L'eau, la plus fluide des substances. Rendre l'identité comme l'eau. Eau, air, terre, feu, vent. L'écriture est un super conducteur. Elle supporte tout.

Alors je continue.

Pendant que tu me fais la caresse
des pharaons, le ciel de Nosara
se délave. Ananás, guayabas, papayas.
Nos cœurs vagabondent dans le circuit
de nos désirs. Ils nous conduisent
au lieu variable de notre extase
où nous nous retrouvons sans périphérie,
sans limite, inscrits dans la beauté
du monde.

Puis nous avons mis
un peu de gris dans la nuit.

La naissance est irréparable.

Qu'est-ce que je ne comprends pas ? Qu'est-ce que je comprends ? Qu'est-ce que je dis et que j'oublie ? Comment en suis-je venu là ? Je veux dire, quelle est cette vérité que je touche et qui s'échappe ? Que j'ai connue et que je connais et que je connaîtrai encore et que je ne veux pas admettre. Est-ce possible ? Pourquoi la laisser glisser... filer... Ah filer ! Voilà. Le Tao et la mère des mille manifestations. Où est le père là-dedans ? Les pères sont toujours à la taverne. *In vino veritas.* C'est une mer à boire que cette histoire. Mais le Père ? Ce Ce. Que l'anglais dit si bien : *I am that I am.* Non pas Je suis qui je suis. Évident ! Mais Je suis « que » je suis. Le mystère de la Trinité, je vous l'assure, est tout contenu là-dedans. Non pas Je suis celui qui était, ni Celui qui est, non plus Celui qui vient, mais bel et bien Je-suis-celui-qui-est-qui-était-qui-vient, c'est-à-dire Je suis « que » je suis. Non pas une identité tautologique : Je suis qui je suis, même innommable aux mille milliards de noms (comme les sonnets de Queneau). Même pas « parce que » Je suis. Causalité. Mais Je suis du fait que Je suis ; si on pouvait retirer « du fait ». *I am that I am.* Un point c'est tout. Pas de question, pas de réponse. Rien à trouver. «*Supposing no one asked a question. What would be the answer.*» – Gertrude Stein. Généalogie de la Bible. Une lignée devenue point. Processus d'entité.

More to come.
Ne cherchez pas ailleurs.

La phrase m'échappe. Consolation : l'odeur de l'encre quand la plume passe près du nez.

Qui procède de qui ?

– Tu vas écrire notre histoire ?

– Oui, dans des textes brefs. Rapides. Aphoriques. De petites inscriptions sur la stèle de l'été. Comme les grandes gouaches découpées de Matisse. « Mes courbes ne sont pas folles. » Hommage sur hommage au bonheur de la lumière, à la gloire du rythme, à l'ineffable de la vie, au soupçon du paradis qui hante le paysage...

– Un jardin jazz.

– Il faut que je te cause.

– Tu veux jaser ? Alors *jazz me, baby*.

– Roule, écarte, j'arrive, je plonge.

Ciel. Bleu. Azur. Azur. Amour. Amour. Un titre : Logiques improvisées.

On dit que De Kooning dessinait les yeux fermés. Et Twombly. Bien d'autres. Matisse aussi à l'époque de l'Académie Colarossi : « Avec les notions de volume que lui donne le seul toucher. »

Dans le ciel qui se tait, la silhouette
des arbres en épaves de corail. Rumeurs
et murmures. Rythme. Éblouissement.
Dernière vigueur. Jugement à la dérive
devant l'inéluctable ampleur du paysage.
Parfum nocturne. Nuque de la nuit. Chevelure
de l'air. Tous les détails en bloc. Une
transparence sur l'océan des pages.
Baudelaire : « la mer dans la mer ».

J'aime toujours travailler là où la femme dort. J'écris sur la petite table. Devant, la nuit. Son souffle. La douce lueur de la lampe. Lignes sur la page. Traces d'un parcours infini. La pensée de ce qui est à venir. Le souvenir de ce qui vient de (se) passer. Sa chevelure dans la pénombre. Dentelle. Voile. La brise. L'odeur de l'eau au loin. Les vagues. Et son souffle. Encore plus profond soupir que sa jouissance. Voilà tout ce qui anime les lignes que je lie à défaut de revenir m'étendre à ses côtés et rêver. Rêver ? le vent et la vague. La cigarette qui fume. La dentelle qui voile la lune. Fantomatique mais lourde au-dessus de l'eau. La nappe d'eau comme un vaste respir qui enfle et s'assoupit. Puis le matin vient et je sors marcher. Seul. Seul dans le réveil qui l'appelle et que je lui prépare. Elle, assoupie, dans le lit de ma phrase.

– Tu crois à l'inspiration toi ? me chuchote-t-elle.

– C'est une religion chez moi.

– Vraiment ? Heureuse de te l'entendre dire.

– Il faut bien avoir foi en quelque chose. Je joue du jazz avec l'univers. Tu sais que la science découvre de plus en plus que c'est le cerveau qui apprend à se connaître lui-même. Qu'est-ce que ça veut dire ? Est-ce vrai ? Encore le problème du faux ! Ou est-ce qu'on s'invente ? Est-ce qu'on impose l'évolution de notre perception ? peut-être même l'avenir de l'univers ? Une seule question fondamentale disait Einstein : « L'univers est-il amical ? » Il est notre hôte, en tout cas. Et nous le sien. L'hôte est un hôte. L'univers se fait par un long, immense et raisonné dérèglement de toutes les particules. La voyance, c'est l'accélérateur de particules chez Rimbaud : A noir, E blanc, I rouge, U vert, O bleu. Et l'accélération de ces particules donne : « je voyais très franchement une mosquée à la place d'une usine, une école de tambours faite par des anges, des calèches sur les routes du ciel, un salon au fond d'un lac… » Notre cerveau, hôte à un quadrillion de synapses. Plus de connexions que d'humains qui ont peuplé la terre. Plus de connexions possibles que d'atomes dans l'univers. L'hôte est un hôte. Je suis « que » je suis. Synapse : le trou de l'aiguille.

Découverte : le cerveau des personnes intelligentes travaille *moins* que celui des personnes peu douées.

On a injecté à un cobaye un glucose radioactif. Les régions du cerveau s'allument comme une ville qu'on approche en avion le soir. On dresse la carte du cerveau, comme on sonde les étoiles du ciel. Mais encore de grands pas à faire entre l'astronomie et la physique des particules.

– Tu crois ?

La peinture de Pollock : la cartographie des synapses de ses visions de chaos. La peinture coulait sur la toile aussi librement que l'alcool dans son corps. Mais il demeurait une espèce de physicien, il tentait d'atteindre la structure moléculaire de la matière. «*I deny accident.*» Micro/macro.

Les toiles de Pollock sont semblables à l'intérieur inaccessible d'un trou noir. «*Jackson always left you with a feeling of emptiness, as if he was living in an abyss.*» – George McNeil.

C'est chez le peintre mexicain, David Alfaro Siqueiros, surnommé *Il Duco*, que Pollock a pris goût à la peinture pour bâtiment (sans compter son travail de peinture murale durant le *Public Works of Art Project*). Siqueiros aimait expérimenter la nouvelle peinture industrielle, particulièrement une peinture Duco, de résine synthétique, fabriquée pour les automobiles, qui lui a mérité son surnom. «*Lacquer had so many possibilities that we tried everything. We threw it around, we dripped it, we sprayed it...*» – Axel Horn.

Ils l'appliquaient délicatement, ou au fusil ou en épaisses plaques, ils y ajoutaient sable et morceaux de métal. La peinture séchait rapidement et avait une grande dureté. On ajoutait un solvant qui faisait couler la peinture. C'est là que Pollock a développé sa méthode.

– Vraiment ?

Je n'ai jamais voulu créer des personnages, composer des aventures ou des intrigues. Je n'avais rien à dire, ne voulais rien dire, et je savais, malgré tout, qu'il était possible d'écrire. Tenez ! Voilà ce que j'aime de Mozart. Il est, quoiqu'on le range parmi les classiques, le compositeur baroque par excellence. Il n'a rien à dire et le fait si bien. Musique infinie, ciel et enfer, profondeur enchantée. Musique éternelle, faite de répétitions qui pourtant ne se répètent pas. Véritable volume emporté. « Rien qui ne pèse ou qui pose. »

Donc je ne me suis guère intéressé à la psychologie. Là où, dans la vie comme on dit, mes amis cherchent à comprendre ou à inspecter profondément le comportement des autres, moi je ne vois que mouvements, théâtre de l'instant. Peut-on réduire le comportement à une habitude ? Je note chez les autres ce behaviorisme, une répétition subtilement modifiée – variations sur un thème – par les circonstances, le temps, les événements ; une note, une couleur, où il n'y a pas grand chose à comprendre, mais tout à voir ou à entendre.

Prenons encore Mozart, son *Don Juan*. Les critiques s'évertuent à y voir le chef d'œuvre musical d'une saisie psychologique. Don Juan est tout le contraire : il passe plaisamment d'une conquête à une autre, comme les notes de la musique.

Il n'y a pas vraiment d'arrière-pensée à ce que j'écris. L'extase sans limite de l'écriture suffit. Tous les sujets sont des motifs. Toutes les profondeurs des vides. Voilà la surface de l'écriture. Elle, divine, infinie, éternelle.

Action nature. Clarinette. Trompette.
Hautbois dans les arbres. Mesure.
Envolée. Orchestration de la densité
et de la transparence. Brise. Tempo.
Rythme absolu dans l'instant
du silence. Tu es happée par le lieu
de l'ensemble. Cordes et violons.
Ainsi arrive l'espace, sur le tympan
du temps que je marque.

Ai-je dit de Sarah qu'elle avait les fesses admirables ?

Tout est là dans une femme. Son cul, comme on dit. Mais sans comprendre. Cliché qu'on ânonne. Euphémisme pour con. Exclamation pour éjaculation. Excusez l'interjection. On dit cul lorsqu'on veut dire baiser. Et je ne parle même pas de Sodome.

Ici, véritablement, question de forme, volume, proportion, équilibre des densités.

Ou alors je me trompe et il y a chez les hommes une appréciation qui dépasse la satisfaction du désir, qui implique, évidemment, l'apaisement de la montée – sans quoi point d'obsession –, mais qui est, comme chez Gide, une nourriture dont la préparation est une extase.

Proust avait raison, les femmes méprisent ceux qui les aiment trop. L'autre règle : les hommes ne s'intéressent guère à celles qu'ils ne peuvent baiser. On a donc dit, à tort, que les femmes préfèrent la tendresse et l'affection, et les hommes le sexe. Il n'en est rien. Ce qu'on retient de la règle 1, c'est que trop aimer, ce n'est jamais physique, et que le dégoût des femmes est pour ce *trop*. De la règle 2, ceci : ne pas baiser n'est pas physique, d'où le désintérêt des hommes, pour ce *trop peu*. Donc égalité des sexes. Question d'orientation. Concave. Convexe. Tout est position.

– Tu penses à moi, dit-elle. Je le vois dans tes yeux.

– Mais pas du tout, dis-je. Seulement à une partie de toi.

– Je sais laquelle.

Blondeur et rousseur, ça ne se dit pas châtain. C'est tout autre. Duvet blondissant. Pubis dans les roux. Du marron là-dedans et c'est marrant! Casse-noisettes. Attention!

Une largeur sans grosseur. Et je m'arrête. Il y a assez des Grands Rhétoriqueurs qui portent le blason à l'épiderme pour blouser la Dame autant que pour *blueser* le vers, car ils adorent se faire damer le pion.

Bon alors je continue, c'est malgré moi, parfois. Surtout, quand elle expose la brebis de son saint-jean-baptiste. La rondeur qui m'entoure! comme des moutons dans le ciel. Je la vois qui se penche. Je la vois qui enfile. Je la vois qui s'assoit. Qui enfourche. Qui étire une jambe à la sortie du bain. Je la vois que je ne la vois plus; elle, étendue de son long sur le ventre, qui lit, moi, sur le dos, la nuque dans son double coussin, qui lit aussi, ou qui écrit, ou qui rêve dans la musique.

Souvenir de cinéma: scène des *Liaisons Dangereuses*: Valmont qui écrit dans le creux de la croupe.

J'embrasse. Je mords. Je pince. Je marque. Je lèche. Je dessine, j'écris et je dis toute l'étendue de cette ample volupté dont la peau est un parchemin sur lequel se lit et l'ascension et la chute des anges. Ô Morphée, qu'on se morfond sans être enrobé du beau pipi, comme on dit.

En slip, en jeans, en short, en jupe courte, en robe noire, c'est l'inclination de la nature qui retentit.

– J'ai envie.

– Vas-y!

Là je prie.

Facilement.

Il faut rendre grâce. Rendre l'âme. Rendre justice. Rendre. (*Render*, en anglais. Ce qui est arrivé au voile du temple.)

Terrible, terrible noirceur.

Tôt le matin, juste avant l'aube, petite brume le long de la berge à la lisière de la mer. Fraîcheur. Sarah et moi, longue marche. Cris des oiseaux qui font véritablement lever la nuit, qui percent des trous à l'horizon.

Parfum de Verlaine dans une scène tout à fait contraire.

« Le couchant dardait ses rayons suprêmes
Et le vent berçait les nénuphars blêmes;
Les grands nénuphars entre les roseaux
Tristement luisaient sur les calmes eaux.
Moi j'errais tout seul, promenant ma plaie
Au long de l'étang, parmi la saulaie
Où la brume vague évoquait un grand
Fantôme laiteux se désespérant
Et pleurant avec la voix des sarcelles
Qui se rappelaient en battant des ailes
Parmi la saulaie où j'errais tout seul
Promenant ma plaie; et l'épais linceul
Des ténèbres vint noyer les suprêmes
Rayons du couchant dans ses ondes blêmes
Et les nénuphars, parmi les roseaux,
Les grands nénuphars sur les calmes eaux. »

Moi, ni plaie, ni tristesse; mais les grands nénuphars sur les calmes eaux, voilà le ton. Il y avait quelque chose de cela dans la brume qui se levait.

Sarah, l'appareil photo en bandoulière; moi, rêve en zone neutre.

Puis devant nous – c'est cette scène qui a fixé la journée –, une cavalière qui descend de son cheval et avance vers l'eau pour y plonger. L'animal suit docilement. Les deux arrière-trains en rythme. Les femmes de ce pays ont les fesses de leur bétail.

Sarah a fait plusieurs photos.

Au déjeuner, je lui montre dans un livre d'art, une reproduction de Watteau, *Rendez-vous de Chasse*.

Une partie de chasse ? Une partie de fesses ? Chasse bien sûr. Tout dans la nature est une chasse. Ici, les fusils et les chiens, et là, le gibier qu'on pend dans les arbres. Mais voilà dans la clairière, une espèce de *Déjeuner sur l'herbe*. Que veut-on goûter au juste ? Ce gibier frais ? Ou chasse-t-on autre chose ?

À droite, la belle cavalière sur le point de descendre. L'ampleur de sa robe lui donne une croupe qui rivalise avec l'arrière-train de la jument qu'elle monte. Les deux peints largement.

Imagination débridée ? Alors l'élégante de gauche qui tourne le regard vers l'observateur, et la monture rousse à droite, dont la couleur reprend le rose de la robe, dont le regard aussi se porte de façon détournée vers le premier plan de la toile, et dont la position offre le même profil que la dame ? Clin d'œil de Watteau.

Puis cette autre belle, assise, bleutée ou argentée, la nuque et la tête se retournant vers l'arrière-plan ; et l'autre monture, plus grise, à l'extrême droite, qui tourne elle aussi le dos et le cou et la tête. Quelle touche ! Ce rendez-vous de chasse est plein d'appâts et le gibier plus galant qu'on ne le croirait. « Chassez le naturel, il revient au galop. »

Ensuite, Sarah a voulu – écho de Verlaine encore que vont charmant masques et bergamasques ? – examiner de plus près *Le Pèlerinage à Cythère*, et *L'Embarquement pour Cythère*. L'un se trouve à Paris, l'autre à Berlin.

L'île de Cythère. On y va ou on en revient ? Quelle question ! Tristesse ? Pas question ! Regardez les *putti* (encore plus clair dans *L'Embarquement*). Ce sont eux les signifiants. Chairs pulpeuses. En vol aérien, rêveur. Un ange qui empoigne l'autre. Vénus, l'emblème. Signe de pierre. Dans la toile du Louvre (*Le Pèlerinage*), Vénus n'a pas de bras. Pourtant tout est enlacement. Dans un premier groupe déjà, un cupidon tire sur la robe de l'élégante, dans un signe d'encouragement. Dans le deuxième groupe, les mains aident la belle à se relever. Troisième groupe : un bras enserre la taille d'une dame dont la main tient une canne et dont le regard se retourne sur les amants derrière elle. Ainsi de suite. Mains qui s'agrippent au bras, bras qui enlacent une taille ; s'appuyer sur une canne, une rame, saisir draperie ou guirlande. Un *putto* est sur le point de saisir une canne, un autre, tout en haut, s'envole déjà, le bâton à la main. Tous ces *putti*, bras entrouverts ; l'ultime, un Amour dont la main empoigne l'entrejambe de l'autre.

Dans la toile de Berlin, il ne s'agit plus d'un buste de Vénus sans bras, mais d'une déesse, de la tête aux pieds. « Je suis belle, ô mortels, comme un rêve de pierre Et jamais je ne pleure et jamais je ne ris. » Elle est entourée de trois *putti* que Tolnay a identifiés comme étant Éros, Antéros et Harmonie. L'essentiel est qu'un d'entre eux, tout comme la statue, est de pierre alors que les deux autres sont en chair. C'est par eux qu'il faut lire le mouvement (message) de la toile (pèlerinage, embarquement). Ils traversent tout le tableau, l'emportent, dans son arabesque, du rêve de pierre à une envolée aérienne.

Pas d'action, selon le jugement qu'a porté Caylus en 1748. Ces *putti* alors ?! Putes ! « Sans l'ombre d'un scrupule », a dit Watteau.

Tous ces hommes et ces dames sont captés entre la « pierre » et le « rêve ». Ce sont eux les « mortels », saisis comme tant d'instantanés – je comprends que Sarah s'y intéresse –, figés comme la sculpture de pierre, emportés toutefois hors de la réalité, dans le réel rêveur de l'amour. Tout est mouvement dans ces deux toiles. Dans *L'Embarquement* de Berlin encore, enlacements de bras, de tailles ; on agrippe sa canne ; jusqu'aux *putti* qui se hissent au mât de l'amour (de l'embarcation); lutte des corps angéliques multipliée.

Tolnay croit que la tête de proue du bateau représente le sphinx, allusion au mystère de l'amour. Si oui, un *putto* l'enfourche comme sa cavale. De symbole en symbole, à la question (sphinx) sur l'amour (Vénus), la toile répond par une vaste animation des corps, grâce aux *putti*, comme si les corps des humains étaient inertes jusqu'à ce qu'ils soient touchés par la pulsion de l'amour. Un mouvement continu, d'où les cannes pour la marche, le navire pour le voyage.

Mélancolie ? À la rigueur, les *blues* qui suivent le coït. Sollers dans *La Fête à Venise* : « Ces couples ne vont pas vers le lieu de l'amour, ils en viennent. D'où leur désespoir... qu'y a-t-il de plus insatisfaisant que l'acte amoureux...? Bien entendu, Watteau n'a pas peint directement cet abattement sombre, mais il est, de toute évidence, implicite. » On ne peut capter l'amour. Il passe. Il faut y revenir. Voilà pourquoi il s'agit d'un pèlerinage, ce n'est jamais un aboutissement, mais un re-lancement.

Faut-il traverser le fleuve de la mort pour arriver à l'île de l'amour ?

Tristes, ces yeux ? Chez Watteau, le regard, dans les groupes, est souvent détourné. Ces points noirs sont plutôt des trous noirs cosmiques. Comme la périphérie du trou noir d'où aucune lumière absorbée n'échappe, tout est dans la toile, pour notre regard. Nous sommes à la limite du trou noir. Rien n'y échappe. Quel sera notre pèlerinage ? Comment embarquerons-nous ?

Watteau est un peintre de « l'autre côté » du miroir.

L'Embarquement est plus glorieux que *Le Pèlerinage* ; question d'emphase. Plus explicite que rêveur. Tous ces yeux sont de petits trous noirs par où la toile aspire toute sa lumière, toute sa couleur. Et nous devant, nous sommes dedans.

Ma phrase est une vocation
de l'ombre sous les palmiers
et les épaves. Tu visites
les plages à cheval. Dans l'antre
de tout ce qui est fou d'absolu,
tu accroches le vent qui
passe. Ah! te voir accotée à
un Giotto. *Ex-voto dans la*
grotte de l'intempérance.

– Vide. Vacuum. Néant.

– C'est la signification de « vacances ». En vacance. Disponible.

– Place au soleil.

– Congé de tout.

– Évacuation.

– « Adieu veau, vache, cochon.. »

– « Le Seigneur a donné, Le Seigneur a ôté... »

– Quel job que de rester dans l'équanimité !

– « Que le nom du Seigneur soit béni ! »

– Mais plus à point, Rimbaud : solde, solde, solde. À vendre : « Les Voix reconstituées »; à vendre : « les Corps sans prix, hors de toute race, de tout monde, de tout sexe, de toute descendance ! ». À vendre. « Élan insensé et infini aux splendeurs invisibles, aux délices insensibles ». «À vendre les Corps, les voix, l'immense opulence inquestionnable, ce qu'on ne vendra jamais. » Ou *Départ:* « Assez vu... assez eu... assez connu... Départ dans l'affection et le bruit neuf. »

– Un nouveau départ. «Ô que ma quille éclate ! Ô que j'aille à la mer ! »

– Mais la mer est partout : « les chars d'argent et de cuivre – les proues d'acier et d'argent – battent l'écume, – soulèvent les souches des ronces. Les courants de la lande, et les ornières immenses du reflux, filent circulairement vers l'est, vers les piliers de la forêt, – vers les fûts de la jetée, dont l'angle est heurté par des tourbillons de lumière. » Et ça s'appelle *Marine*.

– « Pourquoi regretter un éternel soleil, si nous sommes engagés à la découverte de la clarté divine, – loin des gens qui meurent sur les saisons. »

– *Adieu !* Voilà la vacance absolue. Pas de transmigration des âmes. Plus rien. À dieu. Nouveau départ. Je suis toujours là.

– J'ai envie de toi.

– Laissez venir à moi les petits enfants.

– Il était du côté des interdits, celui-là.

– Les Intouchables, comme on dit aux Indes. En plein dans la béatitude. Sens inversé : les premiers seront les derniers.

– L'histoire de la femme adultère.

– Il lui pardonne. Aux Pharisiens qui lui demandent s'il est permis de répudier sa femme, parce que Moïse avait autorisé un acte de divorce pour qui répudiait sa femme, Jésus a cette réponse souvent tronquée lorsqu'on la cite : « Quiconque répudie sa femme – je ne parle pas de la fornication – et en épouse une autre, commet un adultère. »

– Il fait une exception de la fornication.

– Ce n'est pas la fornication qui est cause d'adultère, c'est le divorce.

– Et son amitié pour Marie-Madeleine ?

– Oui. Il y a bien une affaire de femme là-dedans.

– La Grande Prostituée. Babylone ?

– L'Épouse ?

– Marthe et Marie, les deux sœurs.

– La doublure. Baiser l'une, épouser l'autre.

– Médaille, recto, verso.

– Renverser la rectitude.

– Enculer les Pharisiens. Sodomiser Sodome et Gomorrhe.

– En plein jour. Sur la place publique. Beaux Publicains. À ma droite, à ma gauche. À ma place. En croix. Vents. Ténèbres.

– « Brille de la plus intense lumière au cœur des Ténèbres. »

– Lucifer. Lux. Porteur de lumière. Tout le monde sait ça. Et l'ignore.

– Et la Vierge Marie ?

– La Vierge ? N'oublions pas Jean. Voici ton fils. Voici ta mère. Histoire de femme, tu crois ? Ça va loin ça.

– Assez. Allons marcher dans le sable.

– Petite fiction judéenne à la lumière du désert de Dieu.

– Tu est manichéiste, panthéiste, animiste, théiste, chrétien, athée, zen ou quoi ?

– Manifestement apostolique.

– Visionnaire.

– Éblouissement.

– La paix, je t'en prie.

– Ce n'est rien : traversons le désert.

– Allons à l'eau.

Bain, baignade, baptême.

Régime. Variable. Soit 6 h, toujours. Tout de suite : balcon de la terrasse. Odeurs, air du temps. Oiseaux, mesure du jour. Puis café, à la terrasse, toujours. Écrits, *idem*.

Soit réveil, baise. Puis terrasse, café, converse. Parfois, café au lit.

8 h, 9 h ou 10 h, petit déjeuner. Selon. Fruits.

Ensuite, 8 h, 9 h ou 10 h, plage. Soleil. Bain de mer. Nage. Puis promenade. Quête éternelle des coquillages dans l'inépuisable trésor des bas-fonds. Ou bain de soleil. Ou encore, bain d'ombre : lecture; écrits, notes rapides, esquisses, aquarelles, sur le vif; dans la lune, en plein jour. Va-et-vient dans l'eau (bousculade des vagues), nage dans l'éclaircie des mots, bières peut-être, etc.

Midi, sieste. 40 degrés à l'ombre. Sinon, déjeuner : par exemple, cœurs de palmier, saucisson, salade, *queso* local, rosé sur glace; ou, promenade au bord de la mer, petit *soda*, toit de chaume, poisson frais, frit; serveur lent – il dort debout –, *más cervezas*; ombre. Puis jets d'eau dans les crevasses, *bodysurf*, toujours carnet à vol d'oiseau. Parfois, jeux grecs dans un antre clair.

14 h à 16 h, terrasse, musique, lecture.

J'arrête, je récapitule et continue.

Réveil, baise ou brise; café-conversation; écrits; *sol y playa*, nature morte sur le vif; grand intérieur; bouffe ou baise; village, etc.; plage et page; vin et festin ; jeux. 17 h capharnaüm des oiseaux. 17 h 45, tout le sommet des arbres se tait. Rumeur de l'eau. Vent peut-être. Criquets partout. Coucher de soleil, couleurs à venir. Nuit ; carnet ; extase ou orgasme ; musique sur tout ça. Puis, rêve dans les violons ; silence. Reprise, *moderato cantabile* ou *allegro non troppo*.

Les perroquets arrivent. 6 h 30
du matin. Conversation au café.
Premier soleil sur l'aventure
des cœurs. Vert tendre. Canapé
de la forêt à laisser manger
par l'ouïe de l'éveil. (Comme à la
tombée du jour : tapis de rumeurs
sous les pieds.) – « J'y vais. »
– « Moi aussi. » Une grande valse
d'espoir dans la maison du bonheur.

– J'ai découvert l'écriture dans le hamac.

– Avant, tu ne pouvais pas écrire ?

– On pourrait dire. Mais ce n'est pas tout à fait ça.

– Tu écrivais au hamac. Ode au hamac.

– Oui, en un sens.

– La position est importante, comme la ponctuation dans la phrase.

– Non pas la position. Le mouvement. J'allais à la douche. Froide. Puis retour au hamac. Écriture. Vite. Mais sans empressement. Puis chaleur. Encore un peu. Une phrase, puis...

– Douche.

– C'est ça. Eau. Cheveux ruisselants. Pensée fluide. Brise dans les branches.

– Tu as bien écrit ?

– J'en fus, moi-même, esthamaqué.

– Plexus solaire.

– Le souffle du souffle. Chakra quatre. Son signe : l'air.

– Faire le vide.

– Faire le plein.

– Comme lorsque je me laisse bercer dans le bateau.

– Nu aux nues.

– Vogue sur la vague.

– Flots à la flotte.

– Seins des Saints.

– Circonférence auréolée. Point de lumière.

– Enceinte précise.

– Fresque de ta fraise.

– *Fresco. Refresco.*

– Bouchée de pomme. Jus de grenade.

– Grand éclatement dans la boussole de mes chairs.

– Tu as de la veine pour Vénus.

– Étoile du matin. Étoile du soir.

– Je navigue entre tes deux crépuscules.

– Ça coule dans la cale.

– Je me cale au fond du hamac.

– Tu te cales avec ce livre.

– Calligrammes. Jets d'eau et de mots. « Écoute tomber les liens qui te retiennent en haut et en bas. »

– Tu t'en fous !

– Je me fourvoie. La voie du four solaire. Ma voix dans ce four, le foutre. Puis oubli, sommeil sur tout cela. Pourquoi retenir ce qui est là ?

– Toujours ?

– Toujours. Clair. Obscur. Doux-amer.

– Ça, c'est le bouquet.

– La découverte du grand vin d'ailleurs. Cham fut puni pour avoir entrevu la nudité de Noé, qui venait de se noyer après le Déluge.

– Il avait le droit, non ?

– Bien sûr. Il venait de découvrir le vrai goût du monde. « Prions pour notre pauvre Père Gaucher qui sacrifie son âme aux intérêts de la communauté. »

– Pourquoi Jésus a changé l'eau en vin à Cana !

– Justement. Excès. Tout est là. Terre aride.

– Vous voulez de l'eau ?

– Déluge.

– Vous avez faim ?

– Pêche miraculeuse.

– Vous voulez des lois ?

– Dix commandements.

– Pourtant, Béatitudes.

– Excès-ption.

– Ancien testament.

– Nouveau testament.

– Actes des Apôtres.
– Je suis l'in-fidèle.
– Mahomet contre Jésus.
– Du pareil au même.
– En apparence !
– En apparence.
– Fais voir.
– Regarde.
– Qu'est-ce que tu bois là ?
– Du thé glacé.
– Viens mouiller ma madeleine.
– À la recherche du tant perdu.
– « *Sound and fury signifying nothing.* »
– A *tempest in a teapot.*
– « *What seest thou els In the dark backward and Abisme of Time?* »
– *The shrew in Wonderland.*
– « *Farwell fayre crueltie.* »
– *Twelfth night of the zoodiac.*
– *Sir Lancelot.*
– Autre histoire de cœur. Richard Cœur de Lion et Lady Guinevere.
– Les Chevaliers de la Table Ronde.
– Les douze apôtres.
– Vocation.
– *Vocare* : appel.
– Voix.
– Voix et voie. Dans la baise, le chemin (le tunnel de Pénélope pour tout dire, où je suis l'élu Ulysse, béni d'une seule déesse) est proportionnel à l'écho de la distance.
– « Heureux qui comme Ulysse, a fait un beau voyage. »
– Sirènes.
– Viens.
– Je me raidis contre le mât de l'exubérance.
– Viens.

– J'ai passé.
– On baise ou non ?
– Après tout, pourquoi pas ?
– Ça ne change rien ?
– Strictement rien.
– Alors, ça va ?
– C'est pourquoi je t'aime.
– Mais non ! espèce de petit Narcisse.
– Zeus dit à Narcisse : Surveille-toi !
– Ta phobie ?
– Ma lunette ! Point d'observation. « Comme une épée qui coupe, mais ne peut se couper. Comme un œil qui voit, mais ne peut se voir. » J'ai la langue à l'œil.
– Moi, la lune ?
– Si tu veux. Et moi, le « hic », si tu veux encore.
– Et maintenant.
– Madame de Maintenant. Tu es bien lunée.
– *Nunc Dimitas*
– Demi tasse ?
– Je parlais de cul.
– Et moi d'aisance.
– Odeur et son. Vision sur tout ça.
– J'entends par le trou de la serrure. Lunetier ou luthier : voie et voix, du pareil au même.
– Semblable par l'aspect, la grandeur, la nature.
– L'apparence, vision ; la grandeur, volume ; la nature, rythme. Rythme : vision en volume. Son : OM. Aucune résistance.

Silence.
– Je reste bouche bée.
– Et cul béant.
– Tu forniques dans le formique.
– Je conserve dans les hiéroglyphes toutes les momies du monde.
– C'est ce qu'on appelle le cadavre du plaisir.

– C'est ce qu'on appelle aussi le cadastre, registre de renseignements sur la surface et les propriétés foncières (où je m'enfonce).

– On prend un autre coup ?

– Le coup de l'étrier.

– Cavaliers qui ont le mors aux champs.

– Élysées.

– Champ d'optique, d'opération, magnétique.

– Je plonge en contrechamp.

– Tu bois en tonneau.

– *In vino veritas*.

– Demi-tasse ? (Rires.) Tu chantes comme une cruche !

– La dive bouteille.

– Trinch !

– « C'est, dit Frère Jean, du vin à une oreille. »

– Je t'aime.

– Moi non plus.

Quarante kilomètres entre la villa et Nicoya, la ville la plus importante de la région, la capitale de la culture dans le coin : environ dix rues sur dix rues. Longue route cahoteuse, accidentée. Il faudra mettre près de deux heures pour la parcourir. Sarah enlève son short et retire son slip, comme je lui ai demandé. Siège bien incliné, longue masturbation.

Les *Ticos* conduisent vite, surtout dans les tournants les plus périlleux. Le point d'accélération se trouve toujours dans la courbe. Ici, question de machisme. Espèce de rite de passage. Le plus couard : celui qui se range pour faire place à l'autre. Paris est une aire de stationnement exemplaire comparée à la capitale San José. On prend généralement les arrêts et les panneaux de signalisation pour des indications s'adressant à ceux qui circulent dans la direction transversale. Comme si cette frénésie de freins et de virages rapides conduisait à une euphorie élémentaire qu'on se garde pourtant bien d'afficher. En région rurale, on roule souvent le soir sans allumer les phares, par mesure d'économie, dit-on. Rien de plus surprenant que d'entrevoir à la dernière seconde un mastodonte de métal (généralement un vieux camion Mercedes-Benz des années 50) qui fonce vers vous en occupant le centre de la route. On s'y fait. Une section de l'autoroute Interaméricaine à 100 kilomètres au sud de San José passe par le *Cerro de la Muerte*. Nommée à juste titre Colline de la Mort, elle est reconnue comme la voie la plus dangereuse du Costa Rica. Quelle colline ! Euphémisme à 3 491 mètres d'altitude. L'autoroute atteint ici son point le plus élevé. L'endroit a reçu son nom bien avant la construction de l'autoroute, mais la chaussée qui continue sur la crête, presque toujours noyée de brouillard, demeure dangereuse. Durant la saison des pluies, les éboulements peuvent obstruer complètement la route. Le soir, le brouillard est parfois si dense qu'on ne voit qu'à quelques mètres devant soi, et conduire, même à 15 kilomètres à l'heure, semble vertigineux.

Ici, dans la poussière et les roches du chemin où l'on peut croire que les nids de poule sont véritablement le domaine de tous ces coqs et poulets qui, avec les cochons, parfois vaches, chevaux ou taureaux, occupent la route qui longe de vagues agglomérations de quatre, six ou douze familles, j'embraye, je débraye, troisième, deuxième, je remonte, changement de vitesse, impossible de rouler plus vite, même en 4X4. Sur tout ce charivari de la chaussée – et on a l'impression d'y vivre au rez –, au moins cette voûte d'immense joie à la radio : *Six Concerts Avec plusieurs Instruments* de Bach.

La grandeur peut-elle découler d'un incident ? Réponse : aussi sûrement que l'écriture est instinctive.

Autre koan : Vous connaissez le son de deux mains qui claquent. Pouvez-vous entendre le son d'une main qui claque ?

Réponse : Ouïe !

Pour dire qu'il y a trois siècles, Bach s'en va t'à Berlin, à cheval sur son âne à quatrains (ce n'est pas un serment à sornettes), pour acheter son clavecin. Incidemment, il visite le margrave de Brandebourg, un éminent protecteur de la musique dans la capitale prussienne. Le cher margrave, du nom de Christian Ludwig, lui commande, ou lui suggère d'écrire, on ne sait – voilà peut-être le véritable incident –, des pièces de musique pour son orchestre. Les documents d'époque n'indiquent pas que Bach fut rémunéré pour son travail. Les pièces musicales furent livrées le 27 mars (aujourd'hui même) 1721, jour pour jour, trois ans après « l'incident ».

On ne sait pas non plus si le margrave les fit jouer par ses musiciens. Leurs difficultés objectives laissent croire qu'elles nécessitaient l'exercice de virtuoses, et elles constituent, comme bien d'autres œuvres de Bach, une véritable étude. S'il le fit, cet événement n'a pas été enregistré dans les archives du prince qui décéda en 1734. Les pièces étaient alors connues sous leur juste titre de *Six Concerts Avec plusieurs Instruments*, ainsi que Bach les avait titrées avec modestie, à la mode de la cour de France (le goût, dit-on – et il n'y en a pas de mauvais ou de bon quoiqu'en disent les dictionnaires, ce serait un oxymore, ou un pléonasme –, est français). Elles restèrent longtemps dans l'oubli. Il semble qu'elles aient été tout simplement répertoriées et rangées sur quelque rayon. Elles furent finalement vendues aux enchères, à 10 sous le concerto, avec un bon nombre de pièces de compositeurs mineurs. Ce n'est qu'en 1850, une fois publiées, que l'univers acoustique put découvrir leur langage multiforme, leur incroyable souplesse et leur légère majesté (expression qui pourrait être redondante – mais il y a des tyrans).

Certains experts croient que les six concertos furent assemblés de pièces déjà composées par Bach. Cela expliquerait-il leur diversité ? Ou au contraire cet apogée du baroque ouvrant sur la symphonie moderne n'est-il pas une improvisation en un sens, un divertissement ingénieux (la véritable originalité) et subtil de la part de Bach sur la forme conventionnelle de l'époque, le *concerto grosso* prisé par son contemporain Haendel ?

Il semble que Bach aurait décidé d'essayer toutes les combinaisons possibles de *concertino* et de *ripieno*. Il avait à Köthen, où il était employé par le Prince D'Anhalt-Cöthen, son propre petit orchestre, pour expérimenter. Résultat : spectaculaire, varié, surprenant. Concerto avec un *concertino* dans les registres élevés : trompette, hautbois, flûte à bec, violon. Concerto sans violons. Il adoptait généralement la forme traditionnelle des trois mouvements, rapide, lent, rapide, mais il en compose un sans mouvement lent. Un autre en quatre mouvements, avec hautbois et *violino-piccolo*. Et dans les mouvements lents : *adagio, andante, affetuoso, adagio ma non tanto*. Justement. Soupçon, soupir, souplesse. Puis vitalité, variété, vivacité.

Une heure et demie de musique, j'arrive à faire la route. Regard sur Sarah. Deuxième, puis troisième. Virage rapide sur la gauche ; descente graduée ; quatrième vitesse, mais ça semble plus calme dans l'uniformité. Tempo. On roule allègrement. Dernière colline. Nicoya en vue. *Crescendo*. Longs soupirs de Sarah. Descente maintenant. Pente douce, aisée. *Glissandi*. Dernier emportement. Concertos Branle-bourgeois. Magnifique jacaranda en fleur. Grand flamboiement bleu frais. Coups d'odeurs par les fenêtres ouvertes.

Nous visitons l'église de Nicoya, la plus vieille de la région, d'apparence assez ordinaire à l'extérieur, en réparation ; deux ouvriers qui retouchent la boiserie ; – On peut visiter ? – Allez ! allez ! L'intérieur vide ; tout démantelé ; personnages de plâtre entassés dans un coin ; une crucifixion appuyée contre une colonne ; c'est pauvre, simple. Un peu de lumière filtre par les carreaux blancs. ISO 400, est-ce suffisant ? Question pour nos espoirs photographiques. Sarah, toujours experte dans l'art de capter, remarque immédiatement dans un coin, qu'identifie une perspective de fresque mi-effacée, un confessionnal en bois rosâtre. Nous nous précipitons à l'intérieur. Elle, les lèvres contre la grille, dans l'ombre un peu moisie de la cabine ; moi, arc-bouté de l'autre côté, appuyé contre le banc, la bite entre ses lèvres. Je dis : Pardonnez-moi, mon Père, d'avoir péché...

J'ai une vision de bonheur.

J'écris. C'est une faim
en soi. Choisie. La page, un jour,
se faufile par les plis
de son tissu. Velours des
roches humides. Soie du vent.
Divan-lit. On échange nos peaux.
Ton sexe prend de l'encre, mon sexe
se dispose. Puis on écarte
tout ça pour mordre dans le melon
de l'eau. L'iguane se mêle à
l'écorce de l'arbre. L'exil
du Paradis. J'y suis.

– Il veut qu'on se marie à l'automne.

– Pourquoi ?

– Sécurité, je crois.

– Non, pourquoi l'automne ?

– Les Appalaches dans toutes leurs couleurs. *Honeymoon* dans un petit chalet. Feu dans l'âtre. Odeur de bois. Grand calme. L'automne, c'est vraiment la paix des saisons.

– Et toi ?

– Les Appalaches, c'est bien, mais j'aimerais Paris.

– Quand ?

– N'importe quand. Non. Pas l'hiver, c'est gris.

– *«I love Paris in the spring time, I love Paris in the fall, I love Paris in the winter, when it drizzles, I love Paris in the summer when it sizzzzles. I love Paris every moment, every moment of the year, I love Paris, why, oh why do I love Paris...»*

– Le printemps non plus. C'est euphorisant, mais trop cliché.

– Place Clichy.

– Ni l'été. L'automne, septembre ou octobre. La rentrée. Ou peut-être que oui, mai.

– Pourquoi Paris ?

– Sentiment. Une Américaine *in* Paris. (Rire.)

– Cette musique pour Gershwin, c'est le *Broadway boogie-woogie* pour Mondrian. Tu sais qu'il n'avait aucune formation classique, qu'il a pigé dans le jazz et le ragtime, et qu'il a été guidé par Ravel.

– Oui, Ravel, Debussy, les jets d'eau, Maillol aux Tuileries, l'exposition de cette chair de pierre, partout à Paris, comme une invitation à une intimité reportée.

– C'est ce que tu aimes de Paris ?

– J'aime tout. Tuileries, Orangerie, Jeu de Paume, Versailles.

– Versailles...

– C'est Paris ?

– *Sí*.

– Versailles, la Seine, les bateaux-mouches...

– Champagne à la tour Eiffel, pleine lune...

– Les cafés, les terrasses...

– Les Deux Magots... Le Flore...

– Le Castor ! Tu sais, *Le Deuxième Sexe* a été important aux États-Unis, le livre a ouvert la porte à Steinem, Sontag, Friedan. À l'université, tout le monde lisait ça. On avait le livre sous le bras. Discussions sur les pelouses du campus, à la taverne, dans les lits.

– Évidemment. Et Monsieur Whisky ?

– Whisky ?

– Sartre. Il cachait sa bouteille derrière les livres pour qu'elle ne sache pas à quel point il buvait.

– Le pauvre.

– Un vrai rat de bibliothèque.

– Mais elle le savait ?

– C'est elle qui le dit.

– Ah bon !... Je commencerais au *Procope*; encore un souvenir.

– Tu connais ?

– Bien sûr. Voltaire.

– Le plus vieux café de Paris.

– Décor rouge. Canard à l'orange. Profiteroles. Plateau de fromage à volonté.

– Décor, toujours. Mais plus de canard.

– Oh !

– *Sí*.

– Ah !
– Et toi ?
– Moi ?
– Tu veux ?
– Me marier ?
– Oui.
– Non.
– Alors ?
– Alors, vacances à Paris, mai ou septembre.
– Pourquoi pas !
– Versailles...
– Versailles ?
– C'est Paris ?
– *Sí*.
– Galerie des glaces.
– Jardins.
– Fête des plaisirs de l'Isle enchantée.
– Le Nôtre.
– La nôtre.
– Alors ?
– Évidemment.

Elle fait Yoko. *I was the Walrus*, mais là je joue John.

– *«It seems a shame, the Walrus said, to play them such a trick.»*

Ta nonchalance habite le volume
du jour comme si le secret
du monde se dévoilait sans
apparat. Tout en sons et couleurs.
Je me balade alors dans le parc
d'une grande intimité. Simplicité
des merveilles. Corteza amarilla
en fleur. Folie des mots
retournés au point
d'une superbe conjugaison improvisée.
On dit qu'il y a des jets d'eau
à Versailles?

Sarah a dû partir hier pour New York. Séance de photos qu'elle doit faire pour *Vogue*. Vague sur vogue. Peau sur pellicule. Voile de vitesse dans la coque noire de l'objectif. Hommes et femmes écrivains posant dans l'esprit de leur style, habillés par de grands couturiers, dans le style de leur esprit. Mais Sarah y met une pointe d'ironie et beaucoup d'agrément dans l'invention.

Les grandes dames, les noms célèbres, officiels, de la littérature. Au fond, ceux et celles qui se font inviter à la Maison Blanche. Rebelles à leur heure, aujourd'hui officialisés par leur célébrité. Avec quelques « intouchables ». Burroughs, jamais invité, décédé du cœur, que Sarah a voulu une fois affubler d'un chapeau à la Galliano. Il avait accepté.

Genre Bukowski, *idem*, mort aussi, qu'elle avait photographié au *Century Club* il y a quelques années, en cardigan, design Sonia Rykiel, bras croisés, barbe de plusieurs jours, une bouteille de pouilly-fumé débouchée dans la poche gauche, une bouteille de pouilly-fuissé dans celle de droite.

Alors Mailer, véritable bulldozer du circuit-cocktail. Elle a l'intention de le prendre en smoking Valentino ; comme accoutrement : la ceinture du Championnat mondial des poids lourds.

– Et toi ? avait-elle lancé comme je démarrais pour la piste d'envol (il n'y a pas de véritable aéroport à Nosara).

Moi ? Jamais. Toujours dans le style de mon style, ce que Baudelaire écrit de Rubens : « Comme l'air dans le ciel et *la mer dans la mer*. » Je souligne.

Je suis dans un petit restaurant du village. Au bar, une vieille femme qui flatte les chiens et qui parle aux chats. Je pense un peu à mon ex-femme et à mes enfants, à Sarah à New York... Je suis des yeux cette femme dont je comprends à peine la langue, à qui j'offrirai un *lift* après le repas; chat dans ses bras, entre les palmiers; moi, accoudé à la table. Tout ça et je suis bien.

New York ! où j'ai rencontré Sarah. Où elle m'a été présentée, à la Gauthier Gallery qui exposait ses photos. Où nous nous sommes mis dès lors à collaborer à un livre.

New York Poetry est une scène où apparaît l'écriture elle-même et, modestement, l'histoire de l'écriture. C'est incontournable. Scène où se jouent divers niveaux de langage : babillage, signes, graffiti.

Il est clair qu'on ne peut plus penser l'écriture horizontalement, s'étendant d'un siècle à l'autre, ni d'un début originel vers une fin apocalyptique, mais comme un verbe cosmique, « *language is a VIRUS from outer space* », dit Burroughs. Penser l'écriture comme une traversée, une verticale, ou plutôt une spirale baroque qui donne à chaque tournant une nouvelle perspective – une sonde à la McLuhan –, qui contamine tout. Ainsi Scarpetta a vu dans le postmodernisme la fin des avant-garde, autrement dit, la fin des idéologies, réactionnaires ou progressistes. Ce n'est pas dire qu'il n'y aura plus de théories de l'écriture. Elles naîtront de la pratique de l'écriture (comme la peinture dans la peinture), puisque c'est l'écriture qui se situe dans l'imaginaire.

Cela peut paraître paradoxal, mais le Sujet sera, grâce à l'écriture objective. « Au fond, vous ne voyez en votre principe que poésie subjective : votre obstination à regagner le râtelier universitaire – pardon ! – le prouve. Mais vous finirez toujours comme un satisfait qui n'a rien fait, n'ayant rien voulu faire. Sans compter que votre poésie subjective sera toujours horriblement fadasse. Un jour, j'espère – bien d'autres espèrent la même chose – je verrai dans votre principe la poésie objective, je le verrai plus sincèrement que vous ne le feriez ! » – Rimbaud, lettre à Georges Izambard, 13 mai 1871. « Si les vieux imbéciles n'avaient pas trouvé du Moi que la signification fausse, nous n'aurions pas à balayer ces millions de squelettes qui, depuis un temps infini, ont accumulé les produits de leur intelligence borgnesse, en s'en clamant les auteurs !... La première étude de l'homme qui veut être poète est sa propre connaissance, entière ; il cherche son âme, il l'inspecte, il la tente, l'apprend... Trouver une langue ; – Du reste toute parole étant idée, le temps d'un langage universel viendra ! » – Lettre à Paul Demeny, 15 mai 1871.

L'écriture sera près de la physique moderne où il est reconnu que l'observateur influe sur le résultat. Cependant « de cette science, il n'y a qu'un traité : l'écriture elle-même. » – Barthes. Le plaisir du texte, évidemment ! Belle contamination. Présence incontournable de l'écrivain ou du lecteur. Droit aux modes mineurs, aux « peintures idiotes », aux « livres érotiques sans orthographe » (surtout !), aux « refrains niais », aux « rythmes naïfs ». Il n'y a pas d'idéologie socialisante qui déterminera la rectitude du texte, mais une expérimentation qui sera la modification de notre compréhension de l'écriture.

Cela s'est passé plusieurs semaines après la publication de *New York Poetry*. Ce jour-là, nous devions nous rendre à une exposition de peintres-graffiti à la galerie Westbeth. Rencontre d'amis, fête. En sortant de l'hôtel Chelsea, arrestation pour « outrage aux bonnes mœurs par la voie du livre », comme on dit en France. Là ! sur le seuil du Chelsea qui en a vu d'autres : Sid Vicious qui poignarde sa petite amie,

Janis Joplin qui donne une pipée à Leonard Cohen, du moins le dit-il dans son hymne au Lieu : «*I remember you well in the Chelsea Hotel...That's all, I don't think of you that often.*» Comme quoi, la censure américaine n'a rien appris, n'est-ce pas Mapplethorpe et Cie ?

Pas étonnant si l'on se rappelle que le 14 mai 1959 Frank LaPiccolo du Caravan Club dans Greenwich Village avait reçu une sommation de la préfecture de police pour avoir tenu des lectures de poésie sans permis. Faut croire que la licence poétique est devenue obligatoire.

Alors me voilà soudain dans la réprobation, dans la marge, dans l'asocial, comme le livre d'ailleurs, inadmissible, qui traite de ce qui est extérieur à la loi («*To live outside the Law, you must be honest*» – Bob Dylan) : gribouillages d'enfants (extérieurs à la norme d'écriture) ; graffiti (défense d'afficher) ; pastiche et parodie (simiesque, bar-étage, indigne du soi-disant progrès de *l'homo sapiens*, « maître de tout sur terre ») ; collage (a-poétique, c'est-à-dire écrit pour être vu). Et le souffle, lui ? Ah ! le souffle. C'est entendu. En effet, ce n'est pas la matière qu'on veut, mais le souffle. « Le Seigneur Dieu modela l'homme avec de la poussière prise du sol. Il insuffla dans ses narines l'haleine de vie... » Pour retrouver le véritable souffle, il faut aller dans la matière, dans le corps.

Alors c'était comme une consécration. Oui, je le voyais. Cela n'a pas empêché que cette « criminalité » m'ait d'abord irrité, comme quoi le mouvement des molécules de notre corps est très enraciné dans les premiers enseignements. « Hélas ! l'Évangile a passé ! l'Évangile ! l'Évangile ! »

Ce livre que nous avons écrit ensemble, collage de lettres et d'images, littéralement dans de beaux draps, est une scène, mais ce n'est pas une pièce de théâtre. Sur la scène, tout est graphique (même si elle est vide), une gestuelle (cher Pollock). *New York*

Poetry est donc une scène à la fois publique et intime. J'y suis ; l'intérieur est dans l'extérieur. «*La vie... c'est une maladie mortelle qui se transmet sexuellement.*» – Charles Leblanc. Je jouis là-dedans : jouissance que cette rencontre du double renversé. Parfois l'intérieur éclate et devient publique, s'affiche, se laisse voir, sentir, palper, comme le Big Bang : la singularité s'explose ; elle est toujours partout, légion, et nous sommes là-dedans. « *You'll never get outta these blues alive.* »

Pour Sarah et moi, le livre devait renverser la publicité moderne dans un langage qui approche le slogan, le télex, le découpé, l'interrompu, pour montrer la langue éternelle. C'est une écriture urbaine mais qui ne manque pas de paysage. Un même mouvement, l'infini se dévoilant. Toujours la dernière danse de Salomé.

Voilà ! Alors que le revêtement de l'œuvre a été justement qualifié de « post-moderne » par Heidenreich dans le *New York Times*, l'intérieur est théologique. Mais il s'agit seulement d'un retournement, car dites-moi à quel moment l'univers est-il devenu forme ? Au fond la forme est explosive.

New York Poetry utilise le langage de la pub ; le langage se dénonce lui-même, krach de l'économie des mots qu'on prend pour argent comptant. L'oracle millénaire de fin de siècle devient une incommensurable grimace, et derrière, une gueule de rire, une langue, un mot qui pourrait être une autre langue, un autre mot, la grande machine de l'Univers.

Les mots sont des scènes, pas des événements figés dans le temps, mais joués dans le temps. Une scène : La Genèse ; une scène jouée par l'Autre qu'on appelle Dieu et qu'on ne peut joindre qu'en oubliant son moi, c'est-à-dire son statut social, pour rejoindre le lieu, le paradis. Que c'est bizarre : l'être tente de fixer son moi, d'en faire un lieu où il enfouit ses accumulations (il y a une parabole là !), alors qu'il est un événement. On a annoncé l'*avènement* du Christ, c'est beaucoup dire. La véritable action est un lieu (sans dimension), un état paradisiaque, qui passe, un flux incroyable. Avoir lieu. L'orgasme est-il un événement ou un lieu. Illusion de l'action où l'événement a lieu.

Quel est le lieu du Big Bang ? C'est l'actuel. On recule toujours le moment initial. Mais il manque des calculs de temps, d'intensité ; voilà où apparaît Zénon d'Élée (dans la N^ième^ fraction de seconde avant l'explosion), avec sa tortue par exemple, qui est d'ailleurs symbole de la création de l'univers dans plusieurs mythes dont ceux des peuples précolombiens du Costa Rica. L'origine peut-elle être atteinte (dite)? Atteinte, on plonge dans le silence ? Ce n'est que dans l'éclat, dans l'écart, dans cet espace qu'on imagine éternellement déployé, mais toujours repoussé (« le temps va du présent vers le passé » – Dogen), donc infini, qu'apparaît la fiction que nous sommes : l'Univers. « Le nom qui peut être nommé n'est pas le Nom éternel. »

Censure ! Interdit ! Et la morale là-dedans ? Je songe à Rimbaud. À son aventure à travers tout ce fatras. Sa saison en enfer. Le début : « Un soir j'ai assis la Beauté sur mes genoux. Et je l'ai trouvée amère. Et je l'ai injuriée. » Il s'agit là, au commencement, d'une position sexuelle. Au commencement était la Verge, la mesure, l'étalon. C'est aussi un livre sur la religion, comme quoi la religion est fondée sur la sexualité.

Le sexe qui joue toujours l'*interdit* ; et il y a là une « Imitation », non pas de Jésus-Christ, mais de la Vierge. La virginité qui donne naissance. Il faut savoir lire entre les lignes des « petites annonces » faites à Marie. Annonciation : voiles, plumes, légers nuages. Beau duvet. Lis ! Lis ! Lit ! Et n'est-ce pas ce qu'atteint sainte Thérèse dans ses visions, telle que la représente Le Bernin ? Extase ou douleur ? Douleur de femme qui accouche enfin de ce qu'elle a en elle : sa vision... le Christ... enfant-époux bien-aimé... celui en qui le ciel a mis toutes ses complaisances... emportement... toujours les nuages... les *putti*, ces sages-femmes dévergondées qui, à l'instar de Sappho étendue à la porte nuptiale, chantent, ô si légèrement, le triomphe immatériel de la matière, de la chair faite esprit ; voilà la transgression originelle.

New York Poetry est une bible. Qu'enseigne la Bible ? Que l'humain doit agir selon le Verbe, qu'il n'y a rien d'autre. Au commencement était le Verbe... Tout le reste est idolâtrie. « Vanité des vanités. »

Le livre prend le langage de la pub, le langage de l'idolâtrie même, de la prostitution, de la mise en marché (*In God we trust* encore et toujours ; dites-vous vrai ?) pour retourner aux origines. La grande Babylone ; le rachat in the *Big Apple*.

Les graffiti sont une « confirmation », une marque divine, ou satanique ; d'ailleurs Lucifer est identifié comme créateur du monde, dans la version gnostique. Partir du verbiage pour retourner au Verbe. Cela devient très graphique, car il est dit : « je vous donnerai un signe... » Se rappeler pourtant qu'il n'y a rien à atteindre.

Ainsi il n'est pas surprenant que l'absence soit centrale au texte puisque avant lui rien n'est. L'absence est la pulsion de son écriture, le texte fini présent passe par cet infini-là.

Dieu de mon désir et de mon vouloir. Dieu de ma peur et de ma fureur. Dieu des saints et dieu des païens. Dieu de Tout et Dieu de Rien.

J'écris beaucoup. J'ai le goût
des cartes postales. Petites touches.
Rapides. Courbes spontanées. Envolée.
Effet Mozart. Spires et jeté(e). Drôle
de pas. Puis longue lampée
sur la lame des océans. Traversée
du Nil. Rien. Achéron. Rien encore.
Mer Rouge. Passage dans les veines
de la matière où l'on entend
le tambour du temps répéter
sa répétition pour une lettre
déjà ouverte. Écho. Jéricho. Châteaux
de sable. 40 jours, 40 nuits. Sortie
du désert. Clarinette. Quintette.
Vite. Tout est toujours là.

Cherchez la femme. Telle est la formule. Soupçon originel. Détective divin. Quiproquos. Aparté. Un à-côté. Car il n'est pas bon que l'homme soit seul. Alors? Alors les histoires de femmes sont pleines de petits rêves, observations, remarques, délires et dentelles, fictions, parfums et odeurs, couleurs, tissus, chevelures, conversations, ironie, fuites furtives, maximes ou presque, rencontres fortuites, intolérances, tyrannies, exagérations, fantaisies et fantasmes, souvenirs, infinie réalité, chairs et chemisiers, petits dessous, caresses, yeux qui feraient chavirer Baudelaire, rires et murmures, dents, excès et extases, anges noirs (ou autres), traces de chiens, passages de bêtes de toutes sortes, déhanchement, mythes, parures et paroles, soupirs, cris, fureur et silence, tous ces petits riens au fond qui font que la vie d'un homme n'est qu'une ombre.

Là, une femme se lève, va à la mer. Revient, s'étend au soleil. Se relève, marche dans l'eau. Soleil, eau. Régime régulier, détendu. Efficace.

Elle a dans les fesses quelque chose d'intangible. Dans le port, un appel de toute la sensualité qui peut se concentrer dans une chair aussi bronzée. Une caresse de la nature à la nature. La blondeur cuivrée l'attestant. Mais dans les fesses, quelque chose d'inimaginable presque. Ni le sexe, ni la luxure, mais comme une métaphysique.

Je la vois maintenant revenant vers la rive. Lentes enjambées. Tête penchée vers l'écume ; espèce de dévotion sans arrière-pensée, sans pensée aucune, inéluctable au fond, peut-être simplement un regard sur les coquillages. Puis les épaules, et de là toute la charpente du corps. Tête relevée. Hiéroglyphe inscrit dans le temple du temps. Passage du sable. Ainsi le zen : ni religion, ni philosophie. Là ! Une liberté sans commune mesure. Une chose sans nom. Mais bien une apothéose du sujet dans toute l'étendue d'objets qu'est le monde qui miroite devant nous.

Éclats de lumière sur le déferlement de l'eau.

Je suis entré là-dedans et j'ai disparu à l'arrière-scène, dans les coulisses de quelque chose d'inhabitable. Où j'étais pourtant. Et bien, merci.

Un soir, feu à la terrasse, petit carnet sur les genoux, bon café, un interurbain de New York.

– Allô!

– *¡Hola!*

– J'ai terminé!

– Déjà!

– Oui!

– Merveilleux!

– Je prends l'avion demain... avec une amie. Elle vient passer quelques jours avec nous. Ça va?

– Bien sûr!

– Tu peux venir nous prendre?

– À quelle heure?

– 17 h 15.

Parfait. Atterrissage dans le lit du coucher qui se prépare.

– À demain donc, *honey!*

– T'es bien mielleuse.

– Je suis de bonne humeur.

– Ça s'est bien passé?

– *Superbly fantastic!* Je te raconterai.

– Raconte.

– Je sors. On m'attend.

– Je rentre. Je t'attends.

– *Ciao!*

– *¡A la mañana!*

Je raccroche. Retour sur la terrasse. Petite brise qui se lève. Finalement, non, je ne rentre pas. Je dormirai dans le hamac. Le carnet près du cœur. Ô mon cœur mis à nu.

(RÊVE)

Sarah. Sahara. Myriades de molécules. Usure millénaire de l'eau sur le roc. Partout le sable. Fin. Lisse. Extrêmement chaud. Comme le centre du soleil. Brûlant sous les pieds. Rouge cuivre au loin dans le miroitement de l'air. Qui danse et disparaît. Confond la vision. Vagues, et vagues de sable. Dunes incomprises. Impénétrables. Mouvement incomparable des éléments. Dont les plus puissants demeurent, dans leur sévérité, par leur absence. Fluide possession de la terre par la plus souple des substances. Inflexible attaque. Intenable caresse. Répétée. Maintes et maintes fois. Innombrables fois. Impondérable poids. Non pas l'aérienne. Mais l'aquatique. Dont la densité maintenant se mesure à la distance excessive de ses restes. De ses grains. Semence de désolation. Qui possède maintenant toute la surface. Tout l'horizon. Tant se mire le mirage.

Je me rappelle notre rencontre à Paris, après celle au pays du Lotus, après la première à New York – depuis combien d'années voyageons-nous comme ça ? Sur les Champs Élysées, bien sûr. Quelque chose comme ceci :

– Jean ?
– Tiens, tiens. Sarah ! Salut !
– Qu'il fait bon de te revoir. Et ne dis pas qu'un prompt départ t'éloigne de nous encore...
– Madame ! C'est moi qui ne s'attendait pas à votre retour.

Pour une Américaine, elle connaissait bien la littérature française.

– Oh ! quelle emphase ! Viens. Je t'embrasse.
– Ah ! Chanel No 5. Inconditionnelle...
– Toujours.
– Nuque. Oreille. Soupçon cuisses...
– Arrête !
– Ça va ?
– Oui. Bien, très bien.
– Il y a longtemps qu'on s'est vus.
– La dernière fois...
– Voyage en Égypte. Karnak. Louxor. La Vallée des Rois.
– Autant dire la vallée de la Mort.
– Tu crois ? Mystère. Momie *dearest*...

(Elle adore les films en noir et blanc. Photographe, c'est évident.)

...Sphinx.

– En effet, dit-elle, toutes les questions qu'on se posait.

– Pyramides.

– Belle vue de l'hôtel.

– L'hôtel Hérihor.

– Que de chambres !

– Que de lits !

– Tu voulais les essayer tous.

– On ne descend jamais deux fois dans le même lit.

– Ah ! le Nil ; le fleuve le plus long du monde.

– Rien de plus long. *Nihil*. Nil.

– Les portes des chambres avaient toutes un nom. Nil Blanc. Nil Bleu. Nil Victoria.

– Quel théâtre !

– Et quel drame. Tu te souviens de l'exposition Toutânkhamon ? La deuxième. Trésors des pyramides, je crois. Ruée. Bousculade.

– Ruée vers l'or. Tintin en Égypte. Moi, je préfère Akhnaton. Son père. Monothéiste. *Tabula rasa*.

– T'as pas changé. Nihiliste. Toutourieniste.

– Absolument. Dialectique. L'infini au cœur du néant.

– On peut lire dans les *Textes des Pyramides* : « Car toutes les choses, toujours, sont écrites dans le *Livre des Morts*. »

– Le *Livre des Morts* se nomme aussi *Livre des Portes*.

– Belle conversation pour des retrouvailles.

– Pourquoi pas ? Dans le texte sacré pour la cérémonie de l'Ouverture de la Bouche, il est dit : « Son âme sera à lui. Il reconnaîtra sa forme. Bien à lui. Derrière lui. »

– Ou encore : « Le jour de sa naissance à l'éternité est un beau jour. Ce jour est un beau jour car qui a été justifié revivra en le corps innombrable. »

– Belle expression, « le corps innombrable ». Je me retourne, et te voilà.

– Charmeur va, mon petit Barthien; texte de plaisir, corps de jouissance...

– .. arche d'alliance, tour d'ivoire..

– N'est-ce pas lui justement qui avait remarqué cette expression admirable des érudits arabes pour parler du texte : « le corps certain »?

– Certainement.

– Une liste ouverte de feux de langue. Épiphanie inversée.

– ...nuée féconde, nuée brillante, nuée lumineuse..

– ...feux vivants, lumières intermittentes.

– ...écoutez-nous, exaucez-nous, priez pour nous...

– Ah! toi et ta Notre-Dame, ta Vierge-Marie...

– C'est mon inspiration, ma Muse, après les Neufs, après Sappho, c'est la onzième, mais la Première des premières, la plus sublime, la divine.

– Il y a un fragment de Sappho qui dit « toujours vierge, je serai ».

– Voilà! L'Immaculée-Conception. Il y a plus d'une corde à la lyre, n'est-ce pas?

– Une deuxième conception immaculée, car l'expression ne se rapporte pas à la grossesse de la Vierge par voie de l'Esprit-Saint, mais à sa naissance à elle.

– Il va sans dire, mais c'est pas peu dire que c'est tout ce qui sépare le judaïsme du christianisme, une petite membrane – faisons place à la circoncision, hé! hé! –, placé là entre l'Ancien et le Nouveau Testament, comme cette page vide, ce trou dans *Le Voyeur* de Robbe-Grillet, où tout bascule. Dans le nouveau roman, c'est le voile du viol, tandis que dans le nouveau testament, c'est la déchirure du voile du temple...

– La tunique tirée au sort.

– Un coup de chance.

– Nu comme un nouveau-né.

– ...c'est le rapt, l'enlèvement, l'Assomption comme l'Ascension, véritable revers de médaille...

Ascension après Avènement, Assomption après Annonciation (qui est une visitation, ce qu'en science on appelle le *event horizon*), le sera-toujours après le qui-est-qui-était.

– Dis-moi qui tu fréquentes et je te dirai qui tu es.

– Je hante l'antre des vierges.

– Tu es esprit.

– Corps et âme.

– « J'ai vu l'enfer des femmes là-bas... »

– Retrousse une vierge et tu trouves un christ.

– «...et il me sera loisible de *posséder la vérité dans une âme et un corps.*» Fin de la saison en enfer.

– Puis illumination.

– Glorification après passion.

– Résurrection.

– Apparition.

– Ascension.

– Pourquoi on s'est quittés ?

– Parce que c'était écrit.

– Parousie ?

– Peut-être... eh !, eh !!

– Jérusalem céleste ? Chambre du Grand Nil ?

– *Nobodaddy* disait Blake.

– L'Époux et l'Épouse ?

– L'*erratum*, c'est d'exclure la Vierge, ce grand trou noir de l'Univers, qui curieusement en décèle le phénomène opératoire – une opération du Saint-Esprit ; on demeure alors dans l'attente, comme des morts-vivants ou plutôt des morts-à-vivre, pris dans le qui-était-qui-sera sans qui-suis et tout ce qui s'ensuit.

– Vampires en quête de vierges.

– Dans *Les Iconoclastes*, J.J. Goux dit bien que « le christianisme », et il faudrait voir là-dedans le rôle de tout l'art religieux avec ses bébés tétant dans des scènes olympiques...

– Autant de nuages et de *putti*, petites putes, que dans l'Olympe de Tiepolo.

– ...que « le christianisme en rendant possible la représentation du féminin maternel a dépassé la Loi au profit de l'Imaginaire ». La Vierge, c'est la quadrature du cercle, ou la Trinité au cube. Elle est la Voie par où passe la Vérité de la Vie. Le passage, très étroit, mais à la fois cosmique, le trou de l'aiguille, si l'on veut, où la parole de l'Esprit Saint s'incarne.

– *L'Origine du monde* de Courbet !

– Voilà ! Les doubles lèvres, la bouche de l'oracle. Elle répond d'ailleurs à l'ange : « Je suis la servante du Seigneur ; qu'il m'advienne, selon ta parole. »

– Tu sais que Sappho se dit *Psappha* dans le dialecte éolien et qu'en hébreux « sapha » signifie littéralement la lèvre et désigne le langage.

– L'hymen devient une hymne. Il faut noter, par rapport à la tradition chrétienne, qu'en français « hymne » peut être du masculin ou du féminin. Cette membrane qui obstrue partiellement l'orifice vaginal chez la vierge devient une espèce de tympan qui reçoit le souffle divin, qui transmet les vibrations sonores de la parole.

– Une mesure d'œil pinéal, comme chez Bataille.

– Ou l'anus solaire. Tu sais ce que disait Bukowski ? Tiens, je viens de noter ça tel quel.

Je sors le calepin :

« Who'd ever invented the game had worked up a neat little masterwork. call him God. He had a shot over the eye coming. but He never showed so you could get Him in the sights. the Age of the Assassins had missed the Biggest One of all. earlier they'd almost got the Son, but He'd slipped out and we still had to go on staggering over the slippery bathroom floors. the Holy Ghost never showed. He just layed back and whipped his dick. the Cleverst One of all. »

Ou quelque chose comme cela, à peu près. Exactement.

Dans les antres où les coquillages
ont la palette de Van Gogh, je
monte dans la spirale de ton âme.
Je rêve d'être pharaon dans le sarcophage
de l'été. Tu ris à l'envers du songe.
Trésor ouvert sur la dérobade
du sujet. Tout est parfait dans
l'intempérance de l'univers. L'excès,
c'est la règle.

Indulgence de l'ombre.

Elle, Julie, jolie, chevelure noire, yeux un peu asiatiques. Plus courte que Sarah ; chair généreuse, pubis de même ; toison ténébreuse. Belles mensurations, rondeurs, aréoles des seins absolument marron.

Chuchotements, éclats, rires, jeux d'adolescentes. Tout le salon devient une vaste scène de toilette. Les deux à poil, courses effrénées, shampooing, petits pots, tubes, crèmes, parfums, *spritz*, miroir, parade, serviettes jetées sur le divan, slips sur la table à dîner, shopping en évidence, SoHo, Madison Avenue, Fifth Avenue, sacs en évidence, Saks, Macy's, Bloomingdale's, Charivari, Banana Republic, Gorilla, Biscuit. Vite une coupe de rosée, bouchée de tartine, toast, conversations, essayage, t-shirt rose et short orange, puis short noir, ceinture verte, maillot cerise, le bas seulement, fausse modestie sur le haut du corps, sourires, jeans, débardeur gris taillé aux ciseaux, nombril, puis voilà mes lunettes de soleil, mon pull matelot, mes pantalons kaki...

– Ça va ?

Elles ne veulent pas répondre. Rires de nouveau. Course vers la commode, bousculade, miroir, ajustement du maillot à la fente des fesses, admiration, je prends des photos, poses, enlèvements, elles tournent par-ci, par-là, virevoltent, maquillage grossier, chaînette à la cheville, non, plutôt douze bracelets au bras, petite extase, beauté plastique, cuisine, elles tranchent des fruits, melon d'eau rouge, melon français, on jette, on lance, guerre juteuse, éclats, chevelure, papaye, orange, bananes, Moulinex, mélange, jus, coup de rhum, odeur d'ananas qui flotte, les fruits, petites bouchées, puis grands restes qui traîneront. Bribes de conversation d'une pièce à l'autre.

– *... getting married?*

– *... can't make up his mind.*

– *Still a virgin...*

– *With his girlfriend?*

– *... lent...*

– *Loves it!*

– *...what a dick!...*

– *He's rad!*

– Elle est pas jolie comme ça ?

Réponse attendue : aucune.

Repos, tabourets, jambes allongées sur le comptoir de cuisine, toujours à moitié nues, change le disque, musique enlevée, tournoiement déhanchement, sauts sur le divan, un autre verre, Julie, elle, fume. Elle a de nouvelles ambitions. Elle veut se taper un musicien, un comédien, un artiste, un écrivain, dans cet ordre, dans la même semaine. Belle ordonnance. Elle a déjà fait le tour en un mois. Là, condensation de l'exercice. Le compte à rebours commence avec le premier. Si c'est raté, retour à zéro. Comme les neuf vendredis du mois. Aucune coupure. Indulgence plénière. Eh quoi ! je comprends.

Elle arrive de New York. Elle s'est fait les trois premiers en cinq jours. Visite de quelques jours avant de repartir. Bénévoles ? Pourquoi pas.

Puis on fixe son choix. Petit maillot jaune pour Julie. Les chairs débordent. Clin d'œil au soleil. Trois triangles, l'un inversé, à peine plus grand. Espèce de trinité ramassée. Sarah, une pièce vert limon, le haut déroulé jusqu'à la taille, en monokini. Étonnant que ces tissus trouvent où se poser ! Plaisant. Délices des yeux. Saveur de la chair.

Soleil, bain. Lunch.

Petit restaurant de plage. Modeste. Terrasse ouverte, toit de palmes, sol de terre battue, tables et chaises disparates, chiens maigres qui rôdent.

Pour Julie, déjeuner à l'américaine : œufs, bacon, toasts, pommes de terre, *café negro*. Service. Je dis : C'est copieux ! Elle comprend : Une couple d'œufs ? – « Oui, toujours ! »

Ah ! tourne, tourne, tournesol. Toute la littérature est là, coincée dans un personnage de Tintin ou étalée, floraison, sur une toile de Van Gogh. Le *mécrit*, dirait Denis Roche.

On cherche toujours à être dans l'ailleurs, alors qu'on est toujours ailleurs. On veut mettre les pieds au Paradis, alors qu'il nous transporte, comme sur la vague de notre expulsion même. Bouleversés par cette marée montante, nous sommes dans une ascension (qui ne va nulle part) que nous ignorons.

On raconte cette conversation entre un vieux shaman Chibcha et son apprenti.

Le shaman : Que cherches-tu ? – L'apprenti : L'illumination. – Tu possèdes ton propre trésor. Pourquoi aller chercher ailleurs ? – Où donc est mon trésor ? demande l'apprenti. – Ce que tu demandes est ton trésor, répond le vieux sorcier.

Regardons-y de plus près. N'y aurait-il pas une autre lecture à faire de ce paradis, conforme au jeu de roulette de la Genèse ?

Adam et Ève sont, non pas dans le Paradis, mais dans le Jardin d'Éden, dans la science infuse – serait-ce une vaste inconscience ? S'ils goûtent au fruit de l'arbre de la Science du Bien et du Mal, ils seront comme des dieux. Ils mordent à l'hameçon. Une bouchée, brèche dans l'idyllique. Ils se savent nus. Génération des générations, et ainsi de suite (la Bible ne cesse de nous fournir ces catalogues). Expulsés du jardin. Pourtant, ils devaient être comme des dieux ! Ou bien quelqu'un a menti. Le serpent ? Les dés seraient-ils pipés ? dans des circonstances éternelles ? Bataille : « jeté comme le dé sur un champ de possibles éphémères. » Ils se cachèrent le visage : il y a toujours une face cachée des dés. L'expulsion du jardin les transporte au paradis, comme des dieux. Il le faut. Mystère des mystères. Kafka : « L'expulsion du Paradis est éternelle : ainsi, il est vrai que l'expulsion du Paradis est définitive, que la vie en ce monde est inéluctable, mais l'éternité de l'événement (ou plutôt, en termes temporels : la répétition éternelle de l'événement) rend malgré tout possible que non seulement nous puissions continuellement rester au Paradis, mais que nous y soyons continuellement en fait, peu importe que nous le sachions ou non ici. »

Pour Dieu, tous les événements sont éternels ; ils se conjuguent en un point. L'expulsion est perçue comme une sortie du Paradis, alors qu'elle est une entrée. « Frappez et on vous ouvrira. » Dieu est donc depuis toujours dans le Péché originel et la Rédemption. Tout ça, une scène. La dernière cène où s'accomplit le point d'éternité en train éternellement de s'accomplir ici et maintenant. L'éternité est-elle une répétition ? maintenant et à jamais ? Elle est plutôt une zone. Péché originel ? Interdiction : « Tu ne toucheras pas. » Tentation : « Vous serez comme des dieux. » Transgression : « La femme vit que l'arbre était bon à manger et séduisant à voir, et qu'il était, cet arbre, désirable pour acquérir l'entendement. » Belle trinité. Impossible à capter. Mais mouvement souverain de l'éternité. Être divin, ce serait quelque chose comme une existence, « la pensée chantée *et* comprise du chanteur ».

Leurs yeux s'ouvrirent et ils étaient nus et ils le savaient. Grande transparence. Ils sortent de la luxuriante opacité du jardin chaotique à la lumière du jour. Lucifer : porteur de lumière. Dieu est glorieux dans ses plus profondes ténèbres. Gloire soit au Père, au Fils et au Saint-Esprit (en voilà un qui n'a pas de sexe mais dont la sexualité est transparente ; invisible mais efficace).

La grande déesse. Sexe qui s'ignore ? Qu'on ignore ? Grave erreur. Par contre, voilà un sexe en évidence, qu'on cherche à garder bien bas. Qui, au fond, joue à refaire la Loi, alors que nous sommes sous sa domination (premier chœur du deuxième ordre) constante (vitesse de la lumière), son joug (du sanscrit *yogi* et *yoga*, joint, unifié). Qui ? Quoi ? Qui joue à tout foutre dans la profondeur des entrailles viscérales pour le recracher au jour, et lui trancher l'évidence. Castrat. Belle voix. Voix de femme, dit-on. Voie de fait ? Ou voix d'enfant. Au nom du Père, et du Fils et du Saint-Esprit ? Hegel : « L'identité du sujet et de Dieu apparaît dans le monde quand le temps est accompli ; connaître Dieu en sa vérité, c'est avoir conscience de cette identité. Le contenu de la vérité est l'esprit lui-même, le mouvement vivant en soi... Qu'est-ce donc que l'esprit ? Il est l'Un, l'infini égal à soi-même, la pure identité qui, en deuxième lieu, se sépare de soi, devient l'autre de soi-même, comme ce qui est pour soi et en soi face à l'universel. Cette séparation est cependant résolue : la subjectivité atomistique, comme rapport simple à soi, est elle-même l'universel, l'identique à soi. Si nous disons que l'esprit est la réflexion absolue sur soi par le moyen de sa division absolue, l'amour en tant que sentiment, le savoir en tant qu'esprit, l'esprit est alors compris comme trois en un : Le Père et le Fils, et cette différence en son unité comme l'Esprit... La théologie chrétienne a conçu Dieu, c'est-à-dire la vérité, comme esprit, et non comme un être immobile, demeurant dans une unité vide, mais comme un être qui entre nécessairement dans le processus où il se différencie lui-même, pose son autre, ne vient à soi que par cet autre, non en l'abandonnant mais en le surmontant et le conservant à la fois... L'Esprit s'oppose à soi-même comme son autre et il est le retour en soi-même de cette différence. L'autre, saisi dans l'idée pure, est le Fils de

Dieu, mais cet autre, dans sa particularisation, c'est le monde, la nature et l'esprit fini; l'esprit fini lui-même est donc posé comme un moment de Dieu. Ainsi l'homme lui-même est contenu dans le concept de Dieu, ce qui peut s'exprimer ainsi : l'unité de l'homme et de Dieu est posée dans la religion chrétienne. Il ne faut pas entendre cette unité superficiellement, comme si Dieu n'était que l'homme et l'homme, de même, Dieu, mais l'homme n'est Dieu que dans la mesure où il surmonte la naturalité et la finitude de son esprit et s'élève à Dieu. En effet, pour l'homme qui prend part à la vérité et qui sait qu'il est lui-même un moment de l'idée divine, est posée la renonciation à sa naturalité, car le naturel est le non-libre et le non-spirituel. »

Dieu ou diable; homme ou femme; du pareil au même, mais identique à sa différence. Yin-Yang. Mystère dans le mystère. Prendre parti. Toujours. Faire partie. Encore. Être de la partie. Si jamais. En partie. Et en tout. Dites : ceci est mon corps. Dites : ceci est mon sang. Dites. Je dis. Dites encore. Je ne peux pas, c'est un secret. Alliance nouvelle, joug nouveau. J'imagine que j'entends Sollers, ce partisan de la dimension déesse du divin : Une femme au Paradis ? Elles cherchent toutes le Jardin d'Éden.

La génération sans généalogie. Le sexe inné. Silence sur tout ça. Idylle. Romance sans paroles. Tendre épouse. « J'ai vu l'enfer des femmes là-bas. » « En vérité, je vous le dis, dès aujourd'hui vous serez avec moi dans le Paradis. »

Péché originel ? Peut-être. Péché d'origine après tout. « Dieu dit : Voilà que l'homme est devenu comme l'un de nous, pour connaître le bien et le mal. » Péché mortel ? Péché immortel, plutôt ! Grand cadeau. Il n'y a qu'un péché : ignorer le Paradis. Crois ou meurs. Ta foi t'a guéri !

« Impossible de le décrire, impossible de l'imaginer,
Impossible de l'admirer, impossible de le sentir.
C'est ton moi véritable, il ne peut se cacher nulle
[part.
Lorsque le monde sera détruit, il ne sera pas
[détruit. » – Mumon.

Dimanche. Jour calme. Même les oiseaux sont paisibles. Rares percées dans l'air atone. L'électricité a été coupée. Chant grégorien dans la tête. Devant moi, le canevas de l'éden. Jardin en rocaille. Arbustes. Hibiscus. Rouges, roses. Orchidées, la fleur nationale (qui en dit beaucoup sur le pays). Saumon, fuchsia, violet, lilas. Puis, plus bas, ouverture sur une zone d'arbres. Sommet en fleur. Flamboyants ou immortelles. Cocotiers, palmiers. Odeur du frangipanier dans l'air, comme à une grand-messe. Ensuite la masse découpée d'une petite forêt, un peu plus bas ; dégradés de verts. Taches profondes. Ombre. Couches pâles. Pâtes brunes. Enfin, le premier plan de la mer. Bleue. À gauche, la pointe rocheuse de Garza qui avance dans l'eau. Trait blanc des vagues qui s'y brisent. Prolongement. Faux horizon. Encore une plage d'océan. Tranche de ciel. Mer azur. Ciel marine. Puis tout le tableau se met à vibrer. Levée du vent.

L'électricité a été rétablie. Musique.

– Voilà ! L'électricité a été rétablie...

Petite voix enchantée avec des yeux de femme qui vient de l'intérieur de la villa. Une grande odalisque, celle-là.

– En effet ! (J'en suis convaincu.)

– Je prépare le café.

La course effrénée des galaxies, ce n'est rien comparée à ce point de fuite d'outre-mer où je plonge. Pourquoi dans ce trajet de l'œil, ai-je pensé au *Nu rose* de Matisse ? L'étendue de chair qui traverse les carreaux bleus ? Sol tout en verticales ? Surface rosée qui s'appuie sur le haut et le bas de la toile. Traversée de l'espace. Carrelage. Mise en croix de la nudité offerte, au lieu de la couleur. Je dis bien au *lieu*, dans le lieu où s'inscrit la couleur. Y a-t-il quelque chose qui se tient davantage ? et qui bouge avec autant d'immobilité dans ce voyage de la toile culminant avec la plongée du regard, parcours absolument confiant dans ce point qu'il occupe ? Puis cette montée des plages rouges et roses. Ce jaune qui bat comme le poumon de la toile au centre supérieur. Tout le reste, lignes des artères pour la circulation du sens, (in)colore, (in)odore, (sans) saveur. Puis dégagement vers le haut dans les carrés blancs. Génie de Matisse qui découpe dans la chair du décor des épiphanies de joie. Puis Rothko au moment de vaciller. Quand l'air atone s'est atomisé et a fait basculer tout le canevas en une couche mystique. À l'aise dans un grand tremblement qui est au fond une petite vibration, une voix ardente de couleur qui est une «*still small voice*», la même voix, biblique. La surface bouge, une nuée descend, remonte, comme le mercure dans le souffle des sept jours de la semaine. Il est toujours prophétique celui qui circule là-dedans. La vérité faite claire. Où est passé le monde ?

Café ; la nuit liquide pour faire suite à l'aveuglement, comme on dit, du jour. Maintenant midi. Écho, toujours, sur la nature, de cette voix de moine : « comme une cigarette qui prie ». Cher Ferré.

Le paysage se recueille. Je prie comme une cigarette. Comme elle je me consume.

Vacillation de l'air (un geste)
dans la procession du jour. L'eau
vient jusqu'à moi. Le ciel, l'encre.
Bleu encore. Tu t'allonges
au balcon de l'horizon. Brune
du jour. Noire de nuit. La chevelure
enflammée dans le détour
des lignes. Irisation de la page
(paysage sur les flots) dès
le premier souffle. Longue haleine
où j'avance auréolé (poussière
de soleils) jusqu'au vacillement
de la bougie dans le transept du soir.

Étendus sur le lit. Vent frais.

Sarah sort un petit album et me montre une sélection de photos qu'elle a prises sur le vif, au Polaroid, à New York. Clin d'œil de la chambre noire.

Les poses des jeunes filles. Une, rousse. Jeans délavés, chemise bleu violet. Taches de rousseur. Pantalons courts aux chevilles. Bas noirs ; souliers noirs à lacet.

Quoi là-dessous ?

L'autre. Joues rondes, nez en bouton de fleur... Assise sur un banc. Jambes croisées, allongées vers la gauche. Jupe, collants noirs, souliers de garçon. Torse légèrement tourné vers la droite. Elle parle à sa copine. Elle fume. C'est tout.

Puis une série de photos qu'elle a réalisée pour *Elle*.

En satin ou en soie, la lingerie prend des airs de star. Allure rétro ou actuelle, les soutien-gorge jouent des décolletés tandis que culottes et boxer-shorts s'échancrent. Rouge, bleue, violette, étourdie de couleurs, elle est tout simplement ravissante et peut devenir le plus doux des cadeaux.

Bouquet rétro. Soutien-gorge balconnet en satin polyester noir imprimé de fleurs roses, décolleté années 40, à larges bretelles et dos réglables. Culotte brésilienne assortie, échancrée sur les cuisses.

Raffinement de dentelle pour un soutien-gorge triangle en soie mélangée beige rosé, décolleté bordé de dentelle blanc cassé, bretelles et dos réglables, port, avec une culotte brésilienne assortie, échancrée sur les cuisses.

Brillance du satin de soie pour ce soutien-gorge balconnet vert émeraude à tout petits nœuds. (*Et là-dessus ses deux grands yeux bruns.*)

Ondulations délicates d'un soutien-gorge balconnet en satin polyester rouge à pois noirs, décolleté tulipe, bretelles et dos réglables, port, avec un boxer-short assorti à taille haute et évasé sur les cuisses.

Maintien parfait d'un soutien-gorge triangle soie bleue à larges bretelles et dos élastique, port, avec une culotte assortie à taille haute qui épouse les hanches.

(*La pointe du sein qui se presse contre la dentelle du cône de la pyramide.*)

Longue discussion avec Sarah sur la photographie. J'avoue que je suis amateur, dans tous les sens du mot. Quand je photographie, il y a bien sûr quelque chose que je veux saisir ; mais je ne m'intéresse pas à ce point à la technique que je voudrais tenter de reproduire sur la photo ce « quelque chose » que je veux saisir. M'y intéresserais-je, le pourrais-je ? J'en doute. Ce *manque* de connaissances techniques peut me faire perdre ce « quelque chose », ou, au contraire, saisir « autre chose », ou encore, retrouver ce « quelque chose » différemment. C'est ce sentiment qui passe que saisit la photo ; cet insaisissable qui peut passer de la photo que je voyais à celle que j'ai *prise*, qui m'est *apparue* plus tard, après le développement. Un « développement » – et le mot qui sert le cliché est heureusement choisi – qui participe de la prise et de la fuite, une essence de parfum...

D'un côté, il y a un investissement de ma part à porter attention à l'extérieur, et en retour, de l'extérieur à se porter sur la pellicule. Les photos ponctuent. Elles sont comme des points dans la phrase de l'existence. Barthes parle de « studium » pour l'activité première et de « punctum » : « petit trou, petite tache » en ce qui concerne la trace de la photo.

D'une part, il y a quelque chose qui marque l'étendue, au fond infinie, de l'existence, qui m'appelle à porter attention, à investir de ma tension, tension du regard, tension de la vitesse ISO, tension du doigt sur le déclic ; et d'autre part, il y a ce petit trou de l'appareil qui s'ouvre, brièvement ou plus longuement, pour laisser pénétrer la lumière et imprimer ce quelque chose. *«Ring the bells that still can ring. Forget your perfect offering. There is a crack in everything. That's how the light gets in. That's how the light gets in.»* – Leonard Cohen.

L'appareil photo serait, en ce sens, androgyne. Il va chercher dans la réalité, s'y fourre comme un mâle. Intrusion. Femelle, cette mécanique reçoit dans sa boîte ce moment embryonnaire. Et contrairement à l'aventure humaine, non pas pour le soumettre à la succession du temps, mais pour l'en sortir, pour capter là ce point autrement indifférencié dans le temps et dans l'espace, pour le faire entrer dans l'in-fini ; et il est possible finalement que ce soit exactement ce que font les organes humains.

Ce soir-là, les filles reviennent de la plage avec deux jeunes *Ticos*, 18, 19 ans. Voyous ? Peut-être ? Très charmants par contre. Je retiens vaguement le nom de l'un : Alou ou Dalou ou Talou, quelque chose comme ça. L'autre sifflait ou chantonnait un petit air à reprises. Beaucoup d'éclats en espagnol cassé d'une part, en anglais parlé comme une vache espagnole d'autre part. Beaucoup d'alcool déjà.

Les deux jeunes sont pour Julie qui repart le surlendemain. Ils ne semblent pas trop étonnés de me voir. Le vieux, ou l'oncle, ou le frère aîné, ont-elles dû leur dire. Julie veut se les taper tous les deux. Elle désire que Sarah et moi regardions. Chuchotements entre elles ; sourires espiègles. Petite scène à venir. Assez conventionnelle d'ailleurs. Le début se passe très vite. Je songe à Lautréamont : « J'établirai dans quelques lignes comment [...] ; c'est fait. »

Sarah et moi assis sur la banquette de cuir dans la petite salle de billard. Décor oblige. Pichet au rhum et aux fruits tropicaux à portée de main. À quelques mètres, Julie, nue, agenouillée devant les deux adolescents, nus également. Ils vont se blouser une fille. « Un match de pool, ma poule ? » Beaux spécimens. Couleur café pâle. L'un, longue bite mince, bien raide ; l'autre, queue plus trapue, épaisse, véritable saucisson. L'un, une vrille de forage ; l'autre, un marteau-pilon. Julie les a tous deux à la bouche. Passant de l'un à l'autre. Lèche, baise, bave, suce, mordille. Elle avale complètement le plus court. Grands sourires sur les visages de nos *Ticos*. Coup d'œil sur Sarah qu'ils auraient peut-être préférée, genre Américaine blonde ; mais une *gringa*, de toute façon, ça va ! Paroles incompréhensibles entre eux pendant que Julie fait la navette. Prestidigitation des doigts sur le manche du membre. Ongles sur les couilles. Succion, sucettes, langue et salive. Le grand tire la tête de Julie vers lui pour le lui enfoncer plus profondément. Ensuite Julie gobe les deux pénis en même temps. Regards émerveillés des jeunes. Les deux têtes bien englouties dans sa bouche.

Puis changement d'ambiance. Moment sauvage. Expression décidée. *Café negro.* On la fait relever, la retourne, la pousse à s'appuyer contre la bande du vieux billard. Croupe creusée, fesses bien haut montées, à monter ; le grand pillard lui met la main au cul, sent que ça mouille assez, belle craie pour sa queue, rentre, raide, d'un coup, tient l'aine bien fort, monte vite et dur, se colle au cul, reprises rapides, ordres incompréhensibles, incomparable étalon à platine, tronc à ouverture, postillon à raccourci, l'autre, le plus court, siffle toujours en crachant légèrement dans son excitation. Morsures dans le cou. Je prends les jumelles. Foyer : trop près. Grand flou. Surfaces de chairs grises et sombres. Seins triturés, massés, malaxés, pétris. Élasticité des mamelons. Voyelles qui s'échappent de Julie. Onomatopées des jeunes. Le plus trapu, qui porte de longs favoris, s'assoit sur la table même, face à Julie, s'agrippe aux nattes de la chevelure, lui enfonce le pénis dans la gorge. Va-et-vient, de haut en bas. Rythmes incertains. Ressacs. Masses de claquements. Violence du tempo. Le grand de plus en plus accéléré. Julie ne peut crier, engorgée par l'autre qu'elle avale.

Fin de la comédie. Quel burlesque ! Les deux types veulent se faire payer. Je m'esclaffe. Ça me rappelle la petite pègre, l'autre jour, au bord du parc. Comme dans un film. Je stationne. Un adolescent, casquette des Yankees, vient me voir, veut se faire payer pour surveiller l'auto : «*Parking… seguridad… no protection : muchas problemas.*» Je lui dis : La protection, tu veux savoir ce que c'est. Je vais me balader dans le parc, je reviens, si on a touché à la voiture, c'est toi que je vais voir. Compris ?

Les deux jeunes sont partis ; Julie, grandes gorgées de bière, s'étend dans le hamac à la terrasse ; quelques marques, morsures, bleus ; épuisée, splendide. Sarah et moi à ses côtés, chaises longues, feu dans le foyer extérieur, le Messie de Haendel sur le *discman*, la grande nuit s'étend, paisible. Regards, sourcils. Pas un mot. Rien à dire. On s'endort tous les trois dans l'air du temps.

Je refais la scène en cinéma. Tropiques. Salle de billard. Toujours. Lustre. Pour bien impressionner. Cocktails. Le ventilateur tourne lentement. Souvenir de *Casablanca.* Demeure particulière. Fin de soirée. Tout ça tourné en noir et blanc. Chic relâché. Lui ne porte plus que ses pantalons en lin, couleur crème, ceinture en cuir tressé, pieds nus ou souliers italiens, beau torse, cheveux rasés court, ou légèrement ondulés, huile d'olive. Elle, pieds nus absolument, robe noire, grand décolleté carré, rondeurs, fermeté évidente, bronzage intense, fermeture éclair devant, large anneau. Elle termine un coup; raté. *Obviously, she doesn't know how to play with the devil.* Peu importe, c'est un « jeu » tout ça – et qui commence réellement. Elle se retourne, s'appuie sur la bande du billard; coudes. Le corps doit glisser légèrement pour atteindre la pose. Et c'en est une. Tout dans les meilleurs clichés pour souligner les formes. Lui la regardant de derrière pendant qu'elle se penche au-dessus du tapis vert.

– « Ça va ? »

Il s'approche d'un pas. Deux regards. Il place le procédé (c'est le début, et c'est ainsi que ça s'appelle : *queue à procédé*) dans l'anneau argenté de la fermeture pour la faire glisser légèrement, lent travelling, plans fixes, jeux d'ombre et de lumière, surtout sur le poli des boules et le bronzage de la peau qui renvoient la lumière bien différemment l'un de l'autre; l'un, la reflétant, l'autre l'absorbant; extérieur, intérieur. Mais – et tout tourne autour de ça – l'éclat est là, à la périphérie de l'ivoire et de la surface curviligne de l'épiderme, comme à la périphérie d'un trou noir, cet s.o.s. de lumière.

Il n'y a pas si longtemps, les boules de billard étaient taillées dans l'ivoire fossile des mastodontes du tertiaire et du quaternaire. L'histoire en jeu ! Et quand vous frappiez une de ces boules, vous sentiez immédiatement la différence entre l'ivoire et le synthétique compressé d'aujourd'hui, comme on entend le tonnerre rouler longuement dans les cieux après l'éclair. On avait le sentiment, en laissant glisser la queue entre les doigts pour aller frapper et marquer la bille blanche d'un beau point bleu, d'une sonde archéologique horizontale. On dit « pelotage » pour ceux qui jouent au billard sans observer les règles.

On pourrait, en un télescopage rapide, faire sentir tout cela, très rapidement, puis passer.

Alors la queue procède toujours au sondage. Mesure d'opinion publique, question de *voix*, il faut répondre oui ou non. Sonde du milieu, examen du fond de l'affaire, exploration comme dit le dictionnaire « des canaux naturels ou accidentels ». J'insiste. La fermeture éclair s'ouvre lentement, comme un grand rideau de scène qui se lève, sur la rondeur et le bronzage des poumons (*respiration*); on décèle peut-être un peu de moiteur, car c'est l'été, continue sa descente, nudité, pas de slip, lui non plus d'ailleurs comme on verra, bronzage total, toison méticuleusement maintenue pour le bikini, soignée comme un jardin à la française; ventre, cuisses, tout est ferme sans trop de musculature. C'est ici une question de masse, celle du corps, bien sûr, car il est toujours question du corps et de la proportion d'infini qu'il transporte, dans le sens pictural certainement, mais scientifique avant tout (et la peinture connaît ça aussi). Reconnaissance du « rapport constant qui existe entre les forces qui sont appliquées à un corps et les accélérations correspondantes ». Elles sont en train de l'être. *Foreplay* : petite pièce avant le spectacle, lever de rideau, drame tragi-comique, avant-scène très précisément ; pas simplement le lieu, mais le déroulement du lieu, tapis volant. Allons, laissons-nous emporter... Suivons ce fil « conducteur électrique commun auquel sont reliés les points de même potentiel d'un circuit ».

Faut-il faire entrer, en arrière-scène, Démocrite, le Parrain de l'atomisme ? « De la réalité, nous ne saisissons rien d'absolument vrai, mais seulement ce qui arrive fortuitement, conformément aux dispositions momentanées de notre corps et aux influences qui nous atteignent ou nous heurtent. » Ou Épicure ? Son garde du corps qui a développé cette physique en une magnifique morale matérialiste : « Nous disons que le plaisir est le principe et la fin de la vie heureuse... » Et : « On peut dire que tous les plaisirs, mêmes ceux de l'âme, restent toujours corporels. » Voilà le génie d'Épicure, d'avoir allié mobilité et immobilité ; une liberté de mouvement atomiste, le clinamen (ô merveilleux clitoris de l'univers !), reliée à un état de liberté, le bonheur de l'ataraxie, et dont Cicéron dit en voulant railler le philosophe du Jardin (quel Éden !) : « C'est de cette *déviation* [je souligne] que naîtraient les compositions, les *copulations* [je souligne encore] et les adhésions des atomes entre eux... »

De retour au grand billard de l'Univers, au choc atomique.

La queue remonte vers l'épaule, sous la bretelle, fait glisser la robe (il ne faut jamais laisser tomber le regard, c'est là où tout se déroule, le reste est décor), descend le long de la gorge laissant un tracé bleuté – belle voie lactée –, s'approche du mamelon dressé et radieux, esquisse le pourtour du sein droit, à la gauche de l'écran. Plan de coupe rapide. Puis on va retrouver la baguette dans la région du pubis qu'elle caresse, en joue comme l'archet d'un violon. Il y a toujours de la musique là-dedans ; de la musique avant toute chose, et pour cela préfère l'Impur, même muet. Ici, évidemment, scène muette, film muet. On peut faire dans le comique en imaginant les accords d'un orgue déchaîné, la course effrénée accompagnant les policiers dans une scène de Chaplin, etc., au moment des halètements, etc.

Elle, à son tour, main gauche posée sur la braguette toute gonflée déjà, vieilles taches jaunies ; elle lui prend la véritable queue – mais est-ce certain ? Tout est théâtral dans cette affaire. Une seule règle, et ici on entre catégoriquement dans le noir et blanc de toutes les lois : *«Don't get caught behind the eight ball.»*

Inutile de continuer.

Allongée sur la moiteur de l'après-
midi. Immensément. Soleil
au balcon de marbre. Feuille
de palmier qui fait angle avec
la blancheur du mur. Vue
sur mer. Histoire connue. Ancestrale.
Voir de plus près. Inscription de
Matisse là-dedans. Arabesque.
Charme des fantaisies sur un ciel
bleu. Tout cela m'apparaît
comme un grand papier découpé.
(Plume à la main), je bande
dans le lit. Décor. Joie.

Il lui téléphone à l'occasion. « Comment a-t-il eu le numéro ? » dit-elle. Il lui demande quand elle revient, jamais si elle s'amuse (ce qu'elle fait de toute évidence). Seulement : « Tu reviens ? » « Quand ? » C'est ce qu'elle me dit, en témoignant, semble-t-il, la plus grande indifférence.

– Tu n'éprouves pas grand-chose.

– Je ne suis pas là.

– Il ne t'avait pas écrit, l'autre jour ?

– Justement. L'adresse ! Peut-on retracer le numéro de téléphone par l'adresse ?

– Possible. Il veut toujours la même chose ? T'épouser ?

– Non, il n'en parle plus. Seulement, quand je reviens.

– Tu l'as revu à New York ?

– Non, je n'ai pas voulu interrompre cette odyssée dans laquelle nous sommes entrés.

– J'adore ton insouciance.

– Je n'ai rien à lui dire. Je ne pense même pas à lui. Au fond, ça m'ennuie, cette intrusion dans la grande étendue de l'été qui prend place ici.

– J'aime la façon que tu perçois le temps et l'espace. Tu ne fais rien. Tu coules. Tu prends corps dans le moment.

– C'est un talent.

– En effet.

– Et toi ?

– Plus nerveux. Pur-sang. Au trot. Coup de tête.

– C'est ta nature.

– Juste encore.

– Toi, tu fais des choses, mais c'est comme si tu ne faisais rien.
– Douce illusion.
– Tu écris.
– C'est ne rien faire, précisément. Une opération qui laisse le non-faire et le non-savoir non-être.
– Pour moi, la photographie.
– Une merveilleuse magie. La boîte noire de l'écriture. Ici et là. Pas ici et pas là, mais la pellicule de l'ici-et-là. La peau du mouvement de l'univers. Comme un vent au vol. Ce vent où tout est en paix.
– *The eye of the hurricane.*
– Au cœur de cet acte qui prononce l'apparence du monde. Un déclic.
– En vacances, je décroche. Quand je photographie, je déclique. Je me laisse emporter.
– C'est ce que j'aime en toi.
– Je suis en paix avec la beauté du monde.
– C'est tout à fait ce que j'aime en toi. Tu fais, par exemple, qu'un coussin et un sofa prennent tout leur sens.
– Et toi, que la musique soit le parfum de cette existence-là.
– Tes photos sont des saveurs.
– Et tes poèmes, des soupçons.
– Soupçon sans inquiétude.
– Aucune. Valse des soupirs.

Je ne sais pourquoi, soudain, je pense à ce jour assez particulier à New York où il pleuvait. Qu'a-t-on dit de la pluie ? Un rideau, une danse, un voile, un mur, mais jamais, je crois, un tunnel de pluie. C'était comme ça, ce jour-là où nous roulions vers New York. Une pluie si intense que nous étions en elle. Si grise que Verlaine aurait consommé une autre absinthe. Après la pluie, le beau temps ? Lumière au bout du tunnel ? Non rien de cela. Vieux lit au Chelsea. La serrure de la porte m'a fait inévitablement penser au *Verrou* de Fragonard. Quatre oreillers blancs, puis la nuit, puis le sommeil. Qu'était-ce ? Le regard du temps ? de l'autre moment à venir ? Car il n'était pas question de rapt, d'enlèvement, de surprise, rien de tel. Ou, tout simplement, le lit dans le coin, le doux lit ? La croupe repliée ? Le tango des rêves ? Au fond, des éléments qui n'avaient rien à voir avec la toile en rose et crème. La pluie avait peut-être été un souvenir qui avait lavé toute référence.

Et je me retrouve là, une fois de plus, après cet appel de New York. Là dans le tunnel, dans l'infini débordement de l'été.

Sous la douche, Sarah me crie : « Quelle est la différence entre les histoires d'amour que tu écris et les best-sellers ? »

Se moque-t-elle de moi ? Question à la Peter Sellers ?

Elle se pointe sur la terrasse. À la Hollywood : enrobée de la serviette de bain. Blanche. Elle répète la question : « Tu pourrais écrire un roman comme ça toi ? »

– Bien sûr que non. Je ne peux écrire un mauvais roman.

– Essaie.

– Impossible.

– Vas-y.

J'étais marié depuis 10 ans. Je n'étais pas innocent, peut-être naïf. Elle m'a appris cela.

Ah ! Anne-Marie. (Il y a toujours des noms composés dans ces histoires.) Voici le petit livre que je t'ai promis. Il y a longtemps que je veux l'écrire. Je le commence enfin. C'est une histoire au fond assez ordinaire. Mais c'est la mienne, et un peu, oh si peu, la tienne.

Je l'écris aussi pour mon enfant qui va naître, afin qu'il puisse se dégourdir plus vite que je ne l'ai fait et pour qu'il soit toujours heureux.

Tu vas être fâchée de cela, je sais. Il me semble t'entendre :

– Tu m'as dit que tu t'étais fait faire une vasectomie.

– C'est vrai.

– Que vous ne vouliez pas d'enfants.

– Encore vrai. Mais un jour, comme ça, ma femme et moi, avons décidé de tenter la chose. J'ai fait renverser la vasectomie et plusieurs années plus tard, contre tout espoir, faut croire, cela a marché.

Écoute. C'est de la fiction. Alors j'en mets. J'en mets pour les lecteurs. J'en mets pour toi aussi. On change les dates, les heures. Mais il y a du vrai. Tiens, le soir de juillet où tu m'as téléphoné pour me dire que tu voulais me voir. J'aurais préféré rester à veiller la nuit sur la plage. Mais je rentre te voir. Salut ! Charme de l'arrivée. Tu es assise à la table de la salle à dîner. Tu écris des lettres. Thé. Puis au lit. Douceurs. Mais tu t'endors. Je veux baiser. « Je suis fatiguée. Tu comprends. Je suis fatiguée. » Je te laisse t'endormir. Puis je file. Le lendemain, tu étais déçue que je ne sois pas resté.

Ce que j'ai fait tard dans la nuit ? Je suis allé voir une vieille amie. Aussi exigeante que toi, mais moins égoïste. Donc libre.

Je sais ce que tu veux maintenant savoir. Sans doute pas très jalouse. En effet, que suis-je pour toi aujourd'hui ? Si loin de moi. Simplement piquée d'un peu de curiosité pour cette brèche dans notre aventure passée, qui t'était inconnue et sans doute « impensable », malgré ce que tu en disais. Tu disais : Tu as sans doute eu beaucoup d'autres femmes. Moi : Non, j'ai toujours été fidèle.

Je mentais évidemment.

(Longue suite sur cet échange de vérité.)

Les mensonges avaient commencé dès le début de notre relation (c'est un bien grand mot pour ce qui s'est mis à se déchirer dès le début). Je n'arrêtais pas de te dire que cette histoire était fatale. Tu faisais une peine d'amour et moi j'allais en commencer une.

Mais ce que tu veux connaître et que je n'arrête pas de remettre, c'est cette nuit que j'ai passée chez mon amie, alors que tu dormais.

Oh! je ne t'ai pas trompée souvent, chère Marianne.

– Tu avais dit Anne-Marie!

– Marianne, Anne-Marie. C'est du pareil au même. Une disparate tout aussi bien.

Je trompais déjà ma femme, mais pas souvent, qui me trompait peut-être. Et toi, tu me trompais certainement, «*there were so many people you just had to meet... without your clothes*». Un soir ici ou là, une rencontre dans un club de danse, puis les fois que tu revoyais ton ancien chum vers la fin de votre liaison. Mais on ne peut pas dire que les fois où tu baisais avec lui, c'était me tromper.

Écoute, nous nous sommes dit que nous serions très honnêtes. Nous ne l'avons pas été. Je le serai maintenant.

Le nom de l'été, c'est «Enfin!». Enfin, j'ai décidé d'écrire ceci. Soleil là-dessus. Immense le jour. Et la nuit. Palpitante.

Je dis ça parce que dans les romans, il faut mettre du paysage. C'est de rigueur.

– Voilà!

– Tu n'as pu terminer cette élucubration sans placer une belle touche à la fin.

– Je t'avais dit que j'en étais incapable.

La littérature aujourd'hui ? Ordinateurs déréglés. Équipes de recherche. Mass marketing. 600 pages minimum. Sexe et exotisme. Loti. Louÿs. Ils le savaient, il y a longtemps. Rien n'a changé. Ou bien roman médiatique. Il y a un procès ? Le lendemain, un best-seller sur le marché. Le procès Smith-Kennedy se déroule plus vite dans la presse publique que le rapt supposé. Il y a l'assaut raté du FBI contre l'enceinte d'un culte. Waco. Ils sont fous. Explosion. Feux d'artifices. Cache d'armes. Enfants abattus par les leurs ? Échos de Jonestown. Vengeance divine ? Apocalypse prévue ? Et activée ? Le roman médiatique paraît avec la même célérité que le reportage des événements à la une ou à la télé. *11/09/01* sort en livre avant la contre-attaque des U.S.A. On est étonné ? *Oh gee* ! O.J. Roman médiatique sans médiation ! Mallarmé avait raison ? Warhol avait raison ? Roman ? Ce débordement continu ? procès-verbal d'un fait divers ? On dit ce qui est dit ! On tait ce qui est tu ! On croit dire ce qui n'est pas dit. On fait semblant de dévoiler ce qui est caché. Au fond, roman à la Maison Blanche ! Grande politique du blanchissement. Apparence d'intrigue. Négociations. Des ennemis ? Il en faut. Bons et méchants. Conte de fées. *Horse Opera* (c'est bien dit) : un compost de sornettes. On affiche. On cherche. Cherchez la femme. La Grande Prostituée. Babylone. Comment la trouver qui vit de son enceinte ? Vampire d'elle-même. Qui dévore ses enfants. Mouvement perpétuel. Vite ! Lisez ! Oubliez ! Revenez. À 18 heures. À 22 heures. Grand Bulletin : D-E-S-I-N-F-O-R-M-A-T-I-O-N-S. Nouvelles nouvelles. Feu feu. Cendres. Poudre aux yeux.

Et le lendemain, c'est promis, le grand roman de l'anguille sous roche. Le serpent qui revient. La carotte et le bât. Morsure : serpent et pomme. Qui a mordu qui ? Ou quoi ? Fantômes. Ombres. Spectres. Regardez passer cette silhouette. N'y prenez pas ombrage. Nous vous dirons tout là-dessus. Cinéma partout. Platon et Cecil B. DeMille : belle caverne. Des dieux et des déesses, il en faut aussi. Des idoles, vous voulez ? Des saints et des saintes ? Vous avez peur ? Mais vous désirez ? Une vierge ? Une plus que vierge ? Une autre que vierge ? Une madone par exemple ? Adieu Marilyn, comme je pleure pour toi. Salut Madonna. Hollywood. Bois sacré. Cep des druides. Embrassez-moi grande illusion. Toute la vérité sur Kennedy ? La Mafia. Toute la vérité sur Marilyn ? La Mafia. Toute la vérité sur Hoffa ? Encore la Mafia. Toute la vérité sur la Mafia ? Eh hé ! Ça, c'est notre cause. Notre affaire. N'en parlons pas. Allez regarder votre télé. Lisez vos journaux. Achetez nos best-sellers.

– Jaloux ? Moi ? Bien sûr !
– Alors...
– Pourquoi continuer ?
– Oui.
– J'ai l'habitude.
– L'habitude de quoi ?
– D'être de l'autre côté.
– De quel côté ?
– Du côté où vraiment on passe, on laisse passer.
– Alors, pourquoi tu parles d'eux ?
– Honorable adversaire.
– Cette crapule ?
– Effet de miroir.
– Explique.
– Non ! J'explique pas.
– Alors, c'est comme eux ?

– Bien sûr et bien sûr que non.

– Comment !?

– Bien sûr : je dis que je dis. Que non : je ne cache rien. Tout transparent.

– Pas d'ombres chinoises ?

– Oh ! un petit sourire pour l'Orient.

– Eux, ils expliquent, tu n'expliques pas.

– Eux, ils expliquent qu'ils expliquent, ils ne disent rien. Moi, je n'explique rien, je dis tout.

– Le titre ?

– Oh, ce que tu veux !

– Non ! vraiment ?

– Éloge de Sara.

– Non ! vraiment ?

– Peut-être.

– Un livre sur nous ?

– Non.

– Sur moi ?

– Non plus.

– Je suis Sara ou Hagar ?

– Ne sacrifie jamais un Isaac pour un Ismaël.

– Alors ?

– Sara. Femme d'Abraham. Enfant : Isaac. Voilà un côté. L'autre : Hagar. Un enfant : Ismaël. Généalogie. Tout remonte à ça. Isaac : Jésus : croix et vie. Ismaël : Mahomet : crois ou meurs. Je ne dis pas quel versant ou quel croissant je prends. Vertige. Je suis le mercure qui renvoie ou qui dévoie l'image. Qui empêche de passer. Messager des dieux. Langage codé.

– Mais la transparence ?

– Tout est dans le codage.

– Décodage.

– Cousu, décousu.

– « Comme qui assemble trois triades ensemble. »

– Tu vois, c'est simple.

– Alors cette jalousie ?

– Ça s'ouvre et ça se ferme. Espèce de store à lamelles. *Storage*, en anglais, stockage d'information que je divulgue jalousement.

– Comme Dieu est jaloux ?

– Voilà. Dieu est jaloux. Est-ce un oxymore ou une tautologie ?

– Belle question.

– Comme la fine lame entre transparence et opacité.

– Ton roman serait un prélèvement ?

– Ah !

– Une expérience extra-terrestre ?

– Ah ! ha !

– Espèce d'OVNI ?

– Œuvre volante non identifiée.

– Donc, t'es pas jaloux ?

– Bien sûr que non !

– Mais peut-être ?

– Voici mon Fils bien-aimé en qui j'ai mis toutes mes complaisances.

– Oh !

– Ce que j'ai fait, vous tous pouvez le faire.

– Ça veut dire quoi tout ça ?

– Ça veut dire que l'univers tourne sur une imagination.

– « Votre foi vous a guéri », ce genre de choses ?

– La croyance est une vaste imagination. Le pouvoir est dans l'imagination. Si vous voulez contrôler quelqu'un ne lui dites pas comment penser, dites-lui ce qu'il est.

– Mass media.

– Messe noire. Sépulcres blanchis.

– Et toi ?

– Moi ? ce que je dis des gens ?

– Oui.

– Je ne leur dis jamais ce qu'ils sont. Je ne fait pas de psychologie.

– Tu ne veux pas les transformer ?
– Il n'y a rien à transformer.
– Ça fait zen ça.
– Sourire en direction de l'Orient, une fois de plus.
Petit doute.
– Soupçon.
– Oui, soupçon.
– Et la mort ?
– Illusion.
– Tu crois ?
– J'en meurs.

La saison du secret est arrivée
(béance dans les notes de la
transcription) : la mer est une ligne
qui se roule en point d'écume
qui bave de rire. Tous les chemins
disparaissent dans le sable. Ordonnance
du silence, ou fureur ; idem. *Un*
tout petit soupçon quand le regard
dérobe une toile au paysage. Nature
morte sur petit intérieur. Grand nu.

– Tu vas finir comment ?
– Avec un poème, sans doute, ou un vers, ça suffit.
– Pour faire le point sur tout ça ? Une condensation.
– Ou une longue rêverie.
– Prose et poésie.
– *Illuminations* !
– Pourquoi les deux ?
– Tu couches toujours sur le dos ?
– Non.
– Voilà.
– Bon. Vraiment cette fois, ça va s'appeler comment ?
– Petit intérieur sur paysage. Nature morte. Grand nu.
– C'est le titre ?
– Peut-être. Petit intérieur sur paysage point Nature morte point Grand nu point.
– C'est toute l'histoire de la peinture.
– Presque.
– Pourquoi la peinture ?
– Quand j'écris, j'essaie de placer ici un bleu, un jaune, là une tranche de rouge, un peu de vert, de façon significative. A noir, E blanc... c'est la règle. Un certain nombre de lignes, ça crée un volume. Il faut qu'on sonne les voyelles !
– Et l'abstraction ?
– Tout est là : couleur, perspective ou pas, plans, donc volumes, lignes, points, point de fuite. Et quoi encore ? courbes, éclats...

– Mais il y a aussi les Madones...

– Et les ciels, je sais, je sais... Madone, beau tétin, grand nu. Myrrhe et encens, nature morte. Petit intérieur, retable, annonce faite à Marie, la surface de la chapelle. Anges, nuages, paysage. Nus et nuées. Putes et *putti*. C'est toi.

– Ah bon !

– Petit intérieur/grand nu. Paysage/nature morte. Petit/grand, intérieur/extérieur, vie/mort, c'est simple.

– Au fond.

– Au fond. Intérieur du nu. Rose corail. Intérieur sur paysage extérieur, nature/morte. Je continue ?

– Non, ça va.

– Alors récapitule.

– Quand tu bouffes, tu penses au cul, quand tu vois un cul, tu veux le bouffer. Le dehors digéré en dedans.

– Ou vice-versa.

– Ou vice-versa.

– Pas mal. Tu ne serais pas photographe par hasard ?

– Ça se voit ?

– Ça se capte !

– Par hasard.

– Toujours.

– Quand bien même...

– Quand bien même les circonstances.

– Même éternelles ?

– Oui, je me perds dans les escaliers au lieu de descendre à cheval sur la rampe.

– Donc...

– Donc, ça finit par un poème ou un vers. Tout au monde tend vers ça.

– Tension.

– Mesure.

– Tempo.

– Rythmique. Vers ça.

– Quoi ça ?

– Vers ça.
– L'indicible ?
– C'est ce que je dis.
– Je décroche.
– Déclic.
– Cliché.
– Grand nu. Odalisque. Clic ! Icône.
– Nikon.
– Bien. Ça finira sûrement dans un petit filtre qui sépare les eaux d'en haut des os d'en bas.
– J'attends donc...
– Comment ?
– Avec gourmandise...
– Tu l'as dit.
– La fin.
– On se répète.
– Comment ?
– La faim.
– Ah oui !
– Tu verras.
– Ça va mouiller beaucoup ?

Accroché au mur de la villa, près de la porte de la terrasse, un masque précolombien : espèce de tête d'aigle qui sort du front ; deux trous ronds pour les yeux ; trou rond aussi pour la bouche, qui donne au masque un genre de sourire fixe, une joie impassible.

Bouche d'éternité.

Je rentre chercher sur les tablettes de la bibliothèque *L'Intemporel* de Malraux que Sarah avait feuilleté un peu plus tôt pour la qualité des reproductions. Je retrouve un *Bodhisattva* de Chine (IVe-VIe s.) qui transpire lui aussi de cette présence imperturbable. Je le compare au « Roi de Beauvais » européen (fin du XIIe s.). Ressemblance. Certes. Les yeux mi-clos.

Mais quelle différence ! Le Bodhisattva, s'il semble fermer les yeux sur l'extérieur, pénètre dans une vision intérieure qui englobe le dehors, qui le rejoint à la source. Il est en paix.

Le roi offre un regard plus torturé. Il se détourne de l'extérieur. Il n'a plus que l'intérieur ; il est scindé. En combat. Il peut être vainqueur ou vaincu. Il est roi. Mais la paix lui est un effort. Tandis que le Bodhisattva – le nom le dit – n'a pas à lutter. Il est un. Le non-effort lui est une paix.

De même le *Bodhisattva* du VIe-VIIe s. et la « Tête de Saint » du Portail Royal à la cathédrale Notre-Dame de Chartres. Le Saint a les yeux ouverts. Il est même glorieux. Mais il fait face à la vie. Le Bodhisattva ferme les yeux. Il est dans la vie. Le Saint émerge : « Je suis en vie », semble-t-il dire. C'est une victoire (qu'elle soit chrétienne ou autre). Le Bodhisattva *est*. Rien à dire. C'est un fait.

La tête du Saint est projetée, et je vais vers elle ; elle attire parce qu'elle émerge. Je la touche, je la palpe, je m'y agrippe. Sa victoire dans sa dimension tactile me renvoie à moi-même. Nous sommes deux. Semblables peut-être, frères, image, reflet, mais deux, pris entre l'Illusion et la Vérité.

Le Bodhisattva m'appelle de façon séductrice, par insinuation, par essence, ses molécules sont les miennes, dansent la même danse. Cette tête est presque plate, elle est lisse, on ne s'y accroche pas, elle englobe. Elle est partout sauf là où elle semble être – l'unique lieu du Saint –, dans ce point de sculpture qui, au fond, est véritablement son vide, par où j'entre et apparais en elle. Elle et moi, Un. Où apparaît son plein (la pierre) est son vide. Elle comprend les paroles évangéliques : « Tu es Pierre, et sur cette pierre je bâtirai mon Église. »

La tête du Saint, par contre, est pleine et rejette le vide tout autour ; sa brillance vient de ce rejet de l'illusion (de la vie terrestre), mais c'est aussi son drame : il était et sera peut-être.

Ainsi le discours théologique, je n'y crois pas, mais je le tiens. C'est-à-dire que je ne crois pas à l'Objet de la théologie, mais je tiens un discours théologique, car c'est le discours qui fonde son sujet (il n'y a pas de pensée sans langage). L'écriture est donc divine, c'est le pari pascalien, et le paradis où plonge Sollers. C'est aussi, sans aucun doute, ce que comprenait Mallarmé pour qui tout au monde existait pour aboutir à un Livre. C'est le Livre du Jugement dernier. C'est le Verbe du Commencement. Il n'est pas ailleurs. Il est ici et maintenant. Dans cette phrase que je trace. Il est, il était et il vient. Voilà une perspective qui n'est pas tout à fait orientale, mais qui n'est pas non plus occidentale. Peut-être moyen-orientale, la voie du milieu, Madhyamika, doctrine du Vide.

Un grand Véhicule pour parcourir l'univers.

Ce qui me fascine dans la pensée zen (je dis le zen, la formulation zen, et non pas les écoles de zen), c'est que tout est disposé vers Dieu, pourtant le mot « Dieu », donc le concept, n'existe pas. L'Occident a tenté d'expliquer la cosmologie des choses en développant la théologie. En somme, il a créé Dieu, a mis Dieu là où Il n'est pas, tente de tout orienter vers Lui, et comme résultat, recule tout de Lui, repousse tout devant Lui.

L'expression chrétienne « communion » s'applique davantage à la pensée zen qu'à « la chute des anges » où la religion a tenté d'ancrer l'homme qui lève désespérément la main comme en union, en espoir d'union, avec Dieu.

Un homme en espoir de salut est un damné, un pécheur parti à la pêche (ou tombé dans les pommes). Un homme en dés-espoir de salut est libre.

C'est une perspective inversée, occirientale, yin et yang. La nature du discours est une, apostolique et universelle. D'ailleurs, l'écriture s'en fout. Ici, grand rire chinois, aussi long que la barbiche du Temps, aussi subtil que la trace des ongles impériaux dans la Calligraphie.

Merveilleuse glaise adamique précolombienne !

– Un *body*, ça t'va ?

Petit matin. Singes dans mon jardin.
Chaque jour, l'oiseau-mouche prend sa source
à la rosace de ton sourire. Un vol
plus tendre que les lèvres de la mer
au loin. Plus délicat
que le criquet de tous les putti
sur le prisme nuageux des coupoles.
Une vitesse qui est une longue
insouciance. Parfaite et *protestante.*
Concertos Brandebourgeois *dans l'orgue*
du jour. Ah oui! les singes?

– Je viens de lire dans un vieux magazine l'histoire du mariage du Prince Impérial du Japon. Quelle histoire !

– Deux candidates l'avaient refusé.

– Beaucoup seront appelées, peu seront élues. Pourquoi ont-elles refusé ?

– C'est onéreux comme charge. Éclipse totale devant le soleil rouge.

– Et celle qui a dit oui ?

– Éduquée à Harvard.

– Étonnant !

– Elle doit tout abandonner, marcher derrière lui, à un nombre de pas prescrits. Il faut trouver sa place au soleil, j'imagine.

– Quel baisage !

– Rite, cérémonie, obligation, noblesse... nous blesse.

– Maintenant elle a donné naissance.

– Oui, preuve irréfutable du choix, mais promesse à moitié réalisée. On lui a demandé la lune, elle a mis bas une fille. Lune d'eau. Le trône n'est assuré qu'au mâle. Le soleil se lèvera-t-il toujours sur l'empire du Soleil Levant ?

– Elle devait être vierge.

– Absolument.

– Vérification ?

– De rigueur.

– Une doctoresse de Harvard, indemne ?

– Incroyable, non ?

– Destin.

– Peut-être.
– Religion Shinto ?
– Oui, mais ce n'est pas la bonne. Ça, c'est le gros système. Une seule vraie et véritable religion au Japon...
– Ah oui ! ton zen.
– D'ailleurs, ce n'est pas une religion, au fond, pas même une philosophie. Rien. Comme un trou dans le temps. C'est tout.
– Mais les temples de bonzes ?
– De bronze ?
– Non, bonze, moine.
– Oui, méditation, koan, tout ça. De la foutaise. Le zen, c'est comme un coup d'éclair. On y est ou on n'y est pas. On ne peut pas y arriver.
– Il n'y a nulle part où aller ?
– Où ?
– Rien.
– Juste.
– À point.
– Conclusion :
– Alors on passe un peu de temps au bar.
– *You never miss a beat.*
– « *I never skip a bar* » – Mick Jagger.
– Ça me rappelle une anecdote dans la tradition zen. Le vrai. Pas le zen institutionnalisé. Le zen du zen qui illustre ce zen en zen. Un moine avait cherché l'illumination auprès de plusieurs maîtres, dans divers monastères. Il avait étudié les grands livres de la Tradition sans être illuminé. Il avait pratiqué les koans. Sans succès. Il avait jeûné pendant plus d'une année sans trouver de réponse. Il avait médité sans bouger, face à un mur de pierre, jusqu'à ce qu'il puisse à peine marcher. Puis il est allé pendant trois ans chercher refuge dans une caverne de neige au sommet de la plus haute montagne. Toujours rien. Fatigué, abusé, il est descendu de sa montagne. Un soir qu'il

mendiait dans les rues d'un village, il aperçut une modeste cabane. L'intérieur éclairé à la lanterne lui sembla un havre chaleureux. Par la fenêtre, il vit une jeune femme qui lui fit signe d'entrer se reposer. Auprès d'elle, il se laisse aller à ses désirs. Soudain : «*Ah so!*» Il est illuminé.

– Viens au bar. Viens boire. Viens baiser. Je veux tout. Tout de suite.

– « *We want the world and we want it now!* »

– Jim Morrison et les Doors.

– C'est connu. Ils tiennent leur nom du livre d'Aldous Huxley, *The Doors of Perception.*

– Du zen en poudre, ou en petite ligne, ou bien en bouteille, en capsules... « Enivrez-vous. Enivrez-vous sans cesse ! De vin, de poésie ou de vertu, à votre guise. » Sade a choisi le vice contre les infortunes de la vertu.

– Il faut lire aussi ce que Baudelaire dit du hachisch par exemple dans ses Paradis Artificiels. « ... Je le compare au suicide, à un suicide lent, à une arme toujours sanglante et toujours aiguisée... »

– Il est mort à Paris, Morrison.

– Dans sa baignoire.

– Près des Champs Élysées, n'est-ce pas ?

– C'est prémonitoire.

– Enterré au père Lachaise.

– Tu sais que sa fosse a été achetée deux jours avant sa mort.

– Suicide ou meurtre.

– Curieux...

– Viens. Viens. *Light my fire.*

– Cercueil sur tout cela.

– Pratique de Sarah Bernhardt.

– La grande.

– Tu me feras des déclamations ?

– Déclarations ?

– Non, des déclamations d'amour, des déclinaisons du verbe.

– Allons conjuguer alors. Je t'aime, tu m'aimes, ils s'aiment, que nous nous aimassions. Vous aimâtes.

– Allez et multipliez-vous.

– Tu es une grande fiction sur la page de mon corps.

– Romantique va !

– « Viens sur mon cœur, âme cruelle et sourde, Tigre adoré... »

– Argh !!

Morsures. Miettes de temps. Chamade de l'extase. Pas de place pour rien. *So it is written, so let it be done*.

– *The King and I*.

– *Yes my Fair Lady*.

– *O Camelot*.

– *We come a lot*.

– Vulgaire.

– Vulvaire.

– Cantique des Cantiques.

– À la joie, à la Joyce : *Open a pen happen*.

– Parodie ?

– Qui sait ?

– *So it is written*.

– *So let it all be undone*.

Presque tout ce que j'ai appris, je l'ai appris à ne rien faire. Non pas à l'étude, mais en flânant dans ce qui venait à moi, dans ce qui m'intéressait par-ci, par-là ; dans le désir inconscient jumelé à la rêverie, puis à l'activité non-concluante. J'agissais en coulant. Souvent, cela se produisait dans la rue, dans les terrains vagues. Je coulais dans le béton.

Matisse, lettre à André Verdet, 1952 : « Il faudrait supprimer le séjour à l'École pour un long séjour au jardin zoologique. » L'Éden ! « Les élèves y apprendraient là, dans l'observation constante, des secrets de vie embryonnaire, des frémissements. Ils acquerraient peu à peu ce fluide que les vrais artistes arrivent à posséder. »

Ce que Matisse accomplissait dans ses dessins, une « écriture par les lignes », l'entraîne dans le volume par une peinture des formes. Exemple : *Les Trois Baigneuses* de Cézanne, une des œuvres préférées de Matisse, fait coïncider sur un même plan figures et paysage. Tout est « composante » de la toile. De Kooning : « Le paysage est dans la femme et la femme est dans le paysage. »

Pourquoi ne pas soumettre l'ordre artificiel de la perception, physiologique et psychologique, à l'ordre naturel du roman, physique et psychique ?

Un vieux sage taoïste : « Les gens croient que la peinture et l'écriture consistent à reproduire les formes et la ressemblance. Non ! le pinceau sert à faire sortir les choses du chaos. »

Comme en peinture, l'écriture est un mariage d'objets dans une ordonnance de théorie mouvante (é-mouvante), pour donner, comme en musique, une œuvre de contemplation. Selon Stravinsky, la musique impuissante à exprimer quoi que ce soit institue un ordre entre l'homme et le temps.

Entendons-nous ? Ce n'est pas toujours évident, mais parfois un détail est développé à l'infini, au gré du souffle de l'inspiration, qui, elle, est toujours sûre. Le *Mystère dans les Lettres*, le secret dans le dévoilement.

Je relisais l'autre jour *Le Secret* impayable de Sollers. Je ne comprenais toujours rien et pourtant j'étais convaincu. Je l'avoue. Rien à avouer. Je l'avoue. Messianisme indiscret. Vrai visage de la voie véridique. Une note, une note. Sa note, sa note. Qui chante. Qui parle. *Pop-up* à la Warhol. J'aime l'argent contre l'argent. Le *gossip* contre le silence vitupérant des média.

Le merveilleux début : « J'ai atteint mon désir : un après-midi de pluie et d'ennui, la solitude, le silence, l'espace ouvert à perte de vue devant moi, l'herbe, l'eau, les oiseaux. Aucune excuse, donc, pour le cerveau et la main, leur accord et leur traduction directe. J'avance gris sur gris comme dans d'éclatantes couleurs. Je n'ai plus qu'à être présent, précis, transparent, constant. Faut-il faire confiance aux petites phrases qui arrivent là, maintenant, peau, rire, caresses, tympans, volonté masquée, insistance, plume, souffle, pulsations, saveur ? Allez, le rêveur, musique. » Et la fin !... On peut tout sentir d'un livre dans le début et la fin. *Finnegans Wake*, par exemple : *« The keys to. Given! A way a lone a last a loved a long the riverrun, past Eve and Adam's, from swerve of shore to bend of bay... »*

– « Comment, dites-vous ?
– Ne m'apostrophez pas ainsi, Monsieur. »

Ou encore : « Jadis, si je me souviens bien, ma vie était un festin où s'ouvraient tous les cœurs, où tous les vins coulaient. »

Finn again!

Vite au début. Si le début est bon, je peux reculer à loisir le charme de la conclusion :

« Cela fait longtemps que j'ai envie de prendre mon temps pour rien, de me coucher tôt en pensant seulement au matin.

« Je lève la tête. Légers nuages blancs déchirés sur fond noir. Les étoiles sont là, fixes, intenses, discrètes. »

La veille. L'éveil. La nuit, le jour. La vie, la mort. Encore ! Encore ! J'ai faim. Gourmandise. Gueule d'ange.

Fin.

Encore.

Bravo !

Les demoiselles font l'arpentage
de l'air, surface du velours
du corps à la périphérie
du plaisir. Je vois Seurat
dans les atomes du vent qui
danse. Division du son : écume,
îlot, courbe ; tu affiches le duvet
de tes fesses. La nature reste
bouche bée un moment.
Immense silence sur l'ouverture
d'un trésor qui chante.

Comme un peintre. Nu noir. Nu bleu. Grand nu rose. Intérieur avec paysage, paysage sur intérieur. Nature morte avec fruits, nature morte aux fleurs, tableau, peinture, composition, voilà. Des actes ou des titres. *La Mariée mise à nu par ses célibataires, même.* Objets trouvés, c'est du Duchamp cela, grand joueur d'échec(s), comme Raymond Roussel. Il faut être fou. D'ailleurs Roussel est l'auteur d'une célèbre formule pour le mat avec fou et cavalier : « Le fou tenant, grâce à la coopération de son propre roi, le roi opposé dans une prison de plus en plus restreinte, le rôle du cavalier se borne à se mettre en état de cédille ou de future cédille. » En état de cédille ; stratégie littéraire.

Je ne fais pas l'histoire de l'invention du jeu d'échecs, cases de l'échiquier, grains de blé doublés, multiplication des pains (*La Doublure*, c'est le titre d'un long poème de Roussel). Les cases multipliées par l'espace des cases. *Composition avec rouge, jaune, bleu, Composition avec bleu, Victoire Boogie-Woogie.* Mondrian dans le cube. Accélérateur de particules. Je double la mise. On peut jouer au jacquet avec douze aussi bien qu'avec quinze dames. Tout le monde joue avec quinze dames. À douze pièces, ça semble moins compliqué, c'est vrai, mais tout l'enjeu est dans cette transparence. L'issue en gros plan ; comme cette ancienne conception de Dieu le Père à califourchon sur le début, les entrefaites et la fin de l'histoire. Une erreur. Une seule, et tout est perdu ; chute aux enfers, grand trou noir d'où même pas un coup de dés ne peut nous sauver. À moins... Et voilà la grande ouverture du hasard (réduit à l'Infini)... Je n'en dis pas plus.

La fissure dans l'assemblage parfait des conventions ? Hélas ! pauvre Wallas gommé. « Ne partez pas sans emporter le Temps. » Toute l'histoire de ce qu'on a appelé le *nouveau roman* est contenue là. Comment court-circuiter le temps ? En objections d'objectivité, en objectivation, en infinitifs, en participes présents ? La modification, l'emploi du temps, la fin de partie, alors qu'il y a la Règle de Trois : imparfait, présent, futur. J'étais, je suis, je serai. Au commencement était le Verbe. Conjuguez ! Conjuguez ! Nom de Dieu !

Ou encore, jouez aux *Dix Commandements* : arrangez-vous avec ces règles. Jeu : *L'Arbre de la Science du Bien et du Mal* : radical ! Essayez *L'Arche d'Alliance* : la traversée du désert en quarante jours, à moins d'un mauvais détour, passez par la prison, Ninive, Babylone. Ou encore, le dernier cri : *La Tour de Babel* : confondez vos amis avec ce jeu linguistique époustouflant ; pièces d'architecture ci-incluses ; version avancée dotée d'un kit de structuralisme ; en préparation, *Déconstruction*, piles non comprises, dés sans faces. Plus épiphanique ? *Les langues de feu*. Plus dramatique ? *Le Jardin des Oliviers*, ou *Gethsémani – Jardin des Oliviers II*, « *no batteries required* ». Pour les femmes : *L'Assomption*, précédé de *L'Annonciation* ; tout sur les questions sexuelles. Vous êtes un peu sépulcral : *La Mise au Tombeau*. Non ? Alors, *La Résurrection des Corps*. Ou bien *Marthe et Marie* : habillez-les à la mode du jour. Un peu de porno ? *Marie-Madeleine* ; voyez ce qu'elle a fait pour Proust ; femmes et homos, prêtez attention. Plus ténébreux ? *L'Apocalypse* ! Un *must*. Mais n'oubliez pas que ce n'est qu'un moment, un tout petit incident, un point dans l'infini du paradis. Non ! Non ! Attendez ! ne partez pas sans emporter le Temps.

J'entends des échos de la *Guerre de Troie* dont le lieu (*to be or not to be*) se rejoue sempiternellement :

– Andromaque : « Je ne sais pas ce qu'est le destin. »

– Cassandre : « Je vais te le dire. C'est simplement la forme accélérée du temps. C'est épouvantable. »

Ou, en chœur, version œdipienne chez Anouilh : « Et voilà. Maintenant le ressort est bandé, cela n'a plus qu'à se dérouler tout seul. C'est cela qui est commode dans la tragédie. On donne le petit coup de pouce pour que cela démarre, rien, un regard pendant une seconde à une fille qui passe et lève les bras dans la rue, une envie d'honneur un beau matin, au réveil, comme de quelque chose qui se mange, une question de trop qu'on se pose un soir... C'est tout. Après, on n'a plus qu'à laisser faire. On est tranquille. Cela roule tout seul. »

Je vois Jean Seberg en t-shirt dans les rues de Paris criant : *New York Herald Tribune ! Herald Tribune !* Puis, voix de Belmondo déguisé en Dieu le Père, cigarette au bec : Mais c'est de la foutaise tout ça. Qu'est-ce qu'ils ont, les mecs ?

Tu es Pierrot et sur ce rot j'expulserai le vocable de mon Église. *That's all folks!!! Looney tunes.* Ah ! toujours de la musique. « *If Musicke be the food of Love, play on. Give me excess of it.* »

Singes. 5 h du matin. Avant l'aube. Ils commencent leur petit déjeuner. Bourgeons de fleur au sommet des arbres. Le mâle annonce la présence de sa troupe par des grognements qui font penser à un lion qui jongle.

Ce matin-là, cris sourds, puissants. Sortis du lit à 5 h. On croirait que la jungle vibre dans la chambre même. Ce qui est souvent le cas avec Sarah. Elle a, j'allais dire l'esprit (mais ce n'est pas exact, toute son intelligence est captée, exprimée dans son corps, comme une sagesse innée – c'est préférable à toute rationalisation ; c'est le chariot d'Ézéchiel au fond, en moins chromé), le corps sauvage.

Je prépare le café ; on sort des bananes. Au balcon, devant et sous nous, dans la voûte des arbres, les singes ; à quelques mètres à peine. Agilité, regards de bébés. Accoudés à la balustrade, café ici, appareils photo à droite et à gauche, bananes étalées en appât par là, nous observons leur petit festin. On dirait que, dans un bouquet de bourgeons, ils laissent toujours quelques tiges pour la floraison à venir. Écologie élémentaire et acrobaties pour saisir le plus touffu bouquet au bout de la plus tendre branche. Mères avec enfants sur le dos. Poils noirs ; mâles avec une veste de rousseur sur les côtes. Jeunes mâles. Petite troupe qui commence. Couilles blanches du grand mâle qui pendent contre une branche. Gorge bombée dans un hurlement qui porte loin. Gueule ouverte, couleur bordeaux profond. Dents. Trou blanc des femelles relevé comme le cône d'un volcan. Sarah veut absolument. Appuyée, coudes sur la balustrade, tasse de café entre les mains. Arc des reins. Jambes bien montées. Mince triangle blanc où la chair a moins bronzé. Invitation. Ici, pas un geste conciliant ou de soumission. Offre et demande. Balance absolue. Poils déjà humides. Rosace la rose. « Viens. » J'écarte les chairs. J'enfonce. « Ah ! » Hurlement dans la forêt. L'approbation de l'univers dit Castaneda. « Vas-y. » Elle veut ça rapide et efficace. Lime bien gonflée. Pas de souplesse dans le frottement. Bite au bout et vas-y. Parfum du sommeil toujours dans ses cheveux ; oublie ça. Odeur des draps sur le corps, goût des ébats de la veille ; oublie et fonce. Seins ballants. Mamelons dressés. Guenon hésitante au coin du balcon. Puis, rapidement, geste. Banane épluchée. Saut. Branches. Soupirs. Dos humide. Croupe toute moite. Bras, doigts, queue. Plongée plus bas. Rame qui plie. Incroyable dextérité. Équilibre. Forte émanation des poils. Aine bien agrippée. Va et vient. Fesses rondes. Larges. Gymnastique de position. Je bascule dans ce blanc. Hypnotisme. Magnétisme. Soleil au sommet des branches. Mouvements noirs. Jour doré. Bonds. Flocs sourds. Rythme. Deux doigts dans le con. Langue dans l'oreille. Immense compression du paysage contre ma rétine et ma glande. Grognement. Soupir. La tasse qui bascule. Vacarme dans les arbres. Bonds. Sauts. Dégringolade. Derniers bercements des palmes. Grand silence. Apaisement. Des dizaines de paires d'yeux noirs sur nous. Rires. Pelures de bananes sur la balustrade du balcon. Foulées. Tuiles. Terrasse. Au loin la mer, et le ciel qui a mis le cap. Nous rentrons.

C'est ici que j'ai commencé à boire le café un peu plus amer, d'y mettre moins de sucre, le matin. Comme si ce surcroît d'aigreur allait retirer l'excès de douceur de mon caractère. Stendhal n'avait pas tout à fait tort dans sa thèse sur les tempéraments.

Ce qu'il y a de bizarre dans ce pays de café, c'est que les *Ticos*, eux, boivent un café de troisième ordre préalablement sucré dans le processus de torréfaction. L'un ne va peut-être pas sans l'autre. Il faut dans les *mercado* demander un café *puro*, moulu ou en grain.

La façon traditionnelle de préparer le café, c'est dans le *chorreador*, une espèce de sac-filtre en coton, réutilisable, qu'on fait tenir sur un petit support de bois ou de métal. On y met la quantité voulue de café, moulu très fin. On y ajoute l'eau chaude, bouillante et le café dégoutte dans la cafetière avec un arôme exquis.

Lors du triage, les meilleurs grains sont destinés à l'exportation ; la deuxième sélection est vendue pour la production domestique, principalement dans le domaine de la restauration ; et les grains qui restent sont généralement vendus aux *Ticos* eux-mêmes, ce qui explique son édulcoration. On peut se procurer les trois qualités de café dans les marchés.

Les cafés du Costa Rica sont des arabicas agréablement parfumés et acidulés. Il est rare qu'un café soit suffisamment complet pour offrir à lui seul, sans mélange, ce qu'attend un amateur, mais c'est le cas de certains grands crus d'arabicas provenant du Costa Rica. Le « Costa-Rica » par exemple, suave et délicat, ou l'« Aragon » au goût fin et légèrement acide. Certains ne jurent que par « La Minita ». Il n'est pas aussi rare que certains cafés doux comme le

« Yurgacheffe » de l'Éthiopie ou le « Mocha » du Yeman, mais il demeure assez puissant, riche et acidulé.

Ce ne sont pas les cafés forts qu'aiment les Européens. Les Anglais importaient jadis la majorité de la production costaricienne, aujourd'hui ce sont les Américains. Il est clair qu'il est difficile de juger de la qualité de ce café sur la foi des buveurs de thé ou le choix des inconditionnels du café instantané ; mais les meilleurs demeurent des cafés qui ont du mordant.

Le café est sans doute l'essence même de la démocratie costaricienne. S'il est vrai qu'à une époque le Costa Rica produisait plus de bananes que tout autre pays au monde, c'est le café qui, très tôt, au matin de son existence, lui a donné cette sérénité au sein d'une Amérique centrale livrée à la guerre. Alors que les pays avoisinants sont en ébullition, le Costa Rica goûte déjà aux bénéfices de l'infusion. Voici. 1869, éducation obligatoire ; 1882, élimination de la peine de mort ; 1948, abolition de l'armée. Et le café, plus que tout, est à la base de ce pays aussi égalitaire que possible.

1824-1833, Juan Mora Fernández, héros national, est le premier chef d'État élu. C'est au cours de son administration que le café, venu de Cuba en 1808, commence à être exporté. Le café qui poussait dans les montagnes de l'Amérique centrale atteignait alors des prix élevés en Europe. La demande augmente. L'arôme de la *grano de oro* traverse l'Atlantique sur les contre-alizés.

Tandis que les nouvelles nations de l'isthme chassaient les *campesinos* de leurs terres afin d'établir les grandes plantations, au Costa Rica, les petits fermiers se faisaient encourager à planter le café et à vendre les grains à des *beneficios* (le nom n'est pas ironique) centraux, d'immenses entreprises de transformation que possédaient des agriculteurs plus importants qui préparaient le café pour l'exportation. Quoiqu'il se soit formé des classes sociales à partir du marché du café, ces divisions sont moins prononcées qu'ailleurs. Riches et pauvres participent à la production. Le petit fermier cultive avec soin, comme il l'entend, les fèves d'or qui sont destinées aux grands marchés internationaux et dont la réputation est l'une des meilleures au monde. Ce système permet à de modestes familles de survivre sur leurs propres terres.

Vers le milieu du XIXe siècle, le café était devenu le produit d'exportation le plus important du pays, et les magnats du café formaient une élite riche et puissante. On fit construire une route qui conduisait du Meseta Central au port de Puntarenas. Le Costa Rica exporta d'abord au Chili, puis vers l'Allemagne et l'Angleterre. Enfin, l'argent et les Européens eux-mêmes arrivèrent en masse dans ce paradis tropical. Le pays devint plus cosmopolite ; une université fut créée en 1844 pour disséminer la pensée et les connaissances européennes.

L'influence des éleveurs était telle qu'en 1848, ils firent élire un des leurs, Juan Rafael Mora, à la Présidence. Un homme respecté à la fois par les *campesinos* et les magnats du café. Il devint un héros national en mobilisant une armée de Costariciens pour défendre les frontières contre l'invasion de l'Américain William Walker, un des personnages les plus détestés de l'histoire de l'Amérique Centrale.

Un siècle plus tard, l'armée fut abolie.

Un de mes endroits préférés pour déguster le café, c'est dans un petit établissement de San José, *Giacomín* – tout est dans le nom – où on le sert encore de façon traditionnelle : le café, très noir, dans un pichet, dans l'autre, le lait fumant, qui se mélangent à loisir lorsqu'on les verse dans la tasse.

Tu goûtes le café sur mes lèvres,
sur ma langue. Tu entres
dans le palais de la grano de oro.
Tu dis : « l'étoffe d'une belle
négritude. » J'absous l'esclave
de ton désir. (Pause.) Sortie de
scène. À celle qui est trop gaie.

J'entre dans la chambre, elle a le carnet en main. Notes, dessins, gribouillis, griffonnage, débuts de chapitres, sensations, citations, références, couleurs, plage de plans, rythmes indolents, jets d'encre, tout le livre en somme.

– Tu lis ? dis-je.

Je la surprends.

– C'est ton livre ?
– Peut-être.

Bien sûr, c'est le livre, mais il ne faut pas le dire. Question d'observation. Pointe de sensibilité. Couleur locale.

– On peut en parler ?
– Certainement.
– C'est plein de choses... pas tout à fait vraies.

Mais le livre c'est déjà un autre monde. Aucune commune mesure avec l'apparence de la réalité.

Elle est assise sur le bord du lit, toujours défait (c'est pas la peine), chevelure encore ruisselante, elle revient de la piscine, brindilles d'herbe sur les pieds, chants d'oiseaux sur la terrasse où je fumais.

– Tu crois ?
– Eh bien ! Il y a des choses que tu as marquées là... ce n'est pas tout à fait ça.

– Justement. Autrement, pourquoi ? Il ne faut pas confondre la réalité et le réel, la vérité et le vrai. Cela n'existe pas ; ceci est tout. Cela, convenance, apparence, grande illusion, mauvais scénario, merde... mais tellement confortable. Ceci, la main qui peint le décor. La distance entre deux index à la chapelle Sixtine.

– Voilà le travail d'un artiste.

– Oui. Voilà le travail d'écrivain. Une vacance, des vacances. La vie, ce qu'on appelle la vie, est très éphémère.

– « Et rose elle a vécu ce que vivent les roses, l'espace d'un matin. »

– Voilà un bouquet qui a traversé les siècles.

– Grand poète classique.

– Des vers « carrés de mélodie » selon Baudelaire. Pour Ponge, Malherbe raisonne et résonne. Rigueur : principe du classicisme.

– Loin de ton galimatias.

– Je te ferai savoir que galimatias vient du bas latin, *ballimathia* qui veut dire chanson obscène. Obscène, du latin *obscenus* : mauvais augure. Augure, du latin, renvoyant au prêtre chargé d'observer certains signes pour en tirer les présages, ou à l'observation même de ces signes. Mauvais, de mal, comme dans l'expression « à la male heure », l'heure de la mort, mauvais, funeste, mortel. Male heure, mâle heure, malheur, génération donc mortalité, Éros/Thanatos. Parenthèse (j'ajouterai que plusieurs accuseraient Ponge, le pur, de *ballimathia* – je ne parlerai pas pour le moment de Baal et de Mot). La leçon ?

– *Carpe diem.*

– La vision de la réalité embouteillée dans un début et une fin. « Et ici maintenons que non rire, ains boire est le propre de l'homme, je ne dis boire simplement et absolument, car aussi bien boivent les bêtes, je dis boire vin bon et frais. Notez, amis, que de vin divin on devient, et n'y a argument tant sûr, ni art de divination moins fallace. Vos académiques l'affirment, rendant l'étymologie de vin, lequel ils disent en grec *oinos*, être comme vis, force, puissance, car pouvoir il a d'emplir l'âme de toute vérité, tout savoir et philosophie. Si avez noté ce qui en lettres ioniques écrit dessus la porte du temple, vous avez pu entendre qu'en vin est vérité cachée. La dive Bouteille vous y envoie : soyez vous-mêmes interprètes de votre entreprise. »

– En vain est vérité cachée.

– Bien encore.

– Alors le poète dit le « réel ».

– L'odeur du temps qui passe.

– « Passent les jours et passent les semaines Ni temps passé Ni les amours reviennent... Sous le pont Mirabeau coule la Seine Et nos amours Faut-il qu'il m'en souvienne. »

– En voilà un autre qui a été accusé d'obscénité. L'écriture est un pont. Le pont des nuages, disent les moines taoïstes. Un parfum subtil par delà le bouquet des âges.

– Mais Shakespeare : *« ...that which we call a Rose, By any other name would smell as sweete. »*

– C'est alors qu'il nomme vraiment la chose. Tu te souviens du rituel égyptien par lequel le mort acquiert « un nom d'éternité ». C'est le renversement ; *« by any other name »*, c'est le nom de Dieu.

– Les mille milliards du Nom.

– L'innommable.

– Beckett.

– Si tu veux ! Il faut pousser dans le fumier.

– Alors ? *« A rose is a rose is a rose. »*

– Gertrude Stein. Tyran des beaux-arts.

– Mais sans elle, Picasso et...

– Justement.

– Et alors ? C'est commun ça : A *rose is a rose is a rose*. La réalité. Le quotidien.

– Ah ! mais non. Ce n'est pas tout à fait ça. Ce serait « ordinaire » en effet. Ce que la violette de la rue de Fleurus a écrit, c'est : «*Rose is a rose is a rose is a rose.*» Toute la merveille est là. Dans les grands moments, c'est toujours la quadrature du cercle. Voyez Mallarmé : « Je suis hanté. L'azur ! L'azur ! L'azur ! L'azur ! » Rimbaud : « Faim, soif, cris, danse, danse, danse, danse ! » Faut pas se faire du mauvais sang. C'est une question d'appétit. De goût. Dinn ! dinn ! dinn ! dinn ! Et que dit Pascal de la relation de l'âme avec Dieu : « Joie, joie, joie, pleurs de joie. »

Parmi les premières Rose se trouvent la Laure de Pétrarque, l'Olive de du Bellay, la Délie de Scève, objet de plus haulte vertu :

« Mais moy : je n'ay d'escrire aultre soucy,
Fors que de toy, et si ne sçay que dire,
sinon crier mercy, mercy, mercy. »

Pétrarque dans le *Canzionere* : *« I' vo gridando : Pace, pace, pace ! »* « Je vais criant : la paix, la paix, la paix ! »

Dans *L'Olive*, Du Bellay écrit : « Olive, Olive et Olive est ta voix. »

– Presque !

Pourtant, regardez-moi ces perles où le langage est lié à la répétition : dire merci, merci, merci ; crier la paix, la paix, la paix ; la voix est Olive, Olive, Olive. Olive est un autre nom de la poésie, de la Muse, O *live* lève le voile sur son anagramme en jouant de la viole ; c'est la Sainte (Cécile) de

Mallarmé ; ou encore la belle tautologie de Malherbe : « Il n'y a rien de si beau comme Calixte est belle. » La jubilation de décliner le Nom. En une phrase !

De même chez Pétrarque : *«...m'ha lasciato altro che 'l nome.»* « Ne me laissant rien que le nom. » La Laure de Pétraque, c'est la pierre philosophale ; Laura, c'est *l'aura* (la brise), c'est *lauro* (le laurier), c'est aussi *l'auro* ou *l'oro* (l'or), c'est *l'ora* (l'heure), c'est bien l'anagramme du même sonnet : *«l'Aurora»* (l'aurore), et *«l'aura ora»* (L'aure ore), celle qui fait le jour et la nuit, la pluie et le beau temps sur les pensées de notre poète :

> « *le mie notti fa triste, e giorni oscuri,*
> *quella che n'ha portato i penser' miei,*
> *né di sé m'ha lasciato altro che'l nome* »

> « Mes jours obscurs et mes nuits tristes fait
> celle qui a entraîné mes pensées,
> de soi ne me laissant rien que le nom. »

Mais Laure, c'est avant tout *Ivi è l'aura ora*, « c'est bien le vent du temps » (littéralement : « c'est là qu'habite Laure désormais »; là : le lieu infini, celui du souffle divin) qui balaie tout sur son passage, qui forme et déforme et reforme et informe. « Ce qui a été, c'est ce qui sera, ce qui s'est fait, c'est ce qui se fera. »

Allora Laura, l'aura ora è l'oro del lauro, l'aurora. Alors Laure, le vent du temps est l'or du laurier, l'aurore. Et la lumière fut ! Le passage de l'invisible (le vent) au visible (le jour). « La ténèbre était à la surface de l'abîme ; un vent violent planait à la surface des eaux, et Dieu dit : « Que la lumière soit ! » Et la lumière fut... Dieu sépara la lumière de la ténèbre. Dieu appela la lumière *jour* et la ténèbre il l'appela *nuit.* »

– C'est ça le travail d'écrivain ? La genèse de Rien du Tout ?

– Voilà ! Les Éphémérides ou les Éternités. Choisis !

– Une métamorphose.

– Vieil exemple. Mais très juste.

– Tu files des cocons.

– Ah non ! Je ne serais qu'une des Fileuses – merveilleux tableau de Vélasquez, d'ailleurs.

– Les Parques et le Destin.

– Ou une Pénélope.

– La tapisserie décousue du temps. Ulysse est entraîné à l'aventure sur les voiles de la Grâce, et Pénélope trame contre ses prétendants.

– N'y a-t-il pas une version où elle cède aux 129 prétendants pour être ensuite répudiée par Ulysse ?

– Pourquoi ne pas lui laisser son petit plaisir ? Je n'ai rien contre. Mais ça ne cadre pas. Après Homère, le déluge. De fait, Ulysse est attaché à la plume symbolique, le phallus de la mer, au mât du *navire night* pour traverser la voix des Sirènes qui battent de la queue en coulisse.

– Mais c'est beau cela.

– Il y a plus encore.

– Ah ?

– Moi, je me file moi-même. C'est comme ça qu'il faut comprendre le suicide de Mishima, qui s'est fait photographier en saint Sébastien par Kishin Shinoyama. D'ailleurs toute l'histoire de Mishima tourne autour de cette figure du saint. C'est devant une représentation du martyr par Guido Reni qu'à douze ans Mishima connut sa première éjaculation, puis reconnaît ce qu'il appelle son inversion homosexuelle où se lient inextricablement, découvre-t-il, les pulsions sadiques. C'est ce sort qu'il raconte dans *Confessions d'un Masque* : « Aucunement un destin pitoyable. Au contraire, fier et tragique, un destin qu'on pourrait même dire radieux. » Une marque « qui le plaçait à part de tous les hommes ordinaires du monde ».

De l'image de Guido Reni, il dit que « les flèches sont sur le point de consumer son corps de l'intérieur dans des flammes d'agonie et d'extase suprêmes ».

En écrivant à son éditeur le 2 novembre 1948, il lui laisse entendre que son nouveau livre sera un roman autobiographique, mais non pas dans le sens conventionnel ; ce ne sera pas un livre qui se vautrera dans la fantaisie, mais qui cherchera à la disperser. « Je tenterai de me disséquer vivant. J'espère atteindre l'objectivité scientifique, devenir, dans les mots de Baudelaire, à la fois la victime et le bourreau. » Le merveilleux mot : l'héautontimorouménos !

La photo de Mishima en saint Sébastien reprend l'œuvre de Reni. On voit bien les flèches, les flèches du temps – je pense à l'arc de Zénon – qui tentent de consommer son corps. Au foie, au flanc.

– Comme Prométhée...

– C'est sa signature. Il faut avoir beaucoup de foi pour croire à l'illusion temporelle du monde.

– Pourquoi ?

– Parce qu'on veut en faire une permanence, et que, précisément, ça ne dure pas.

– Qu'est-ce qui ne dure pas ?

– Rien ne dure, ma beauté ! Tout est. Rien ne dure sauf le point vacillant de cette vision. Gravitation sans poids. Vaste légèreté. Mince transparence. Attraction sans mouvement. Dans le *Texte de la Pyramide*, on peut lire : « Au point où tu es, tout est. »

– *No matter where you go, there you are.*

– On est dedans ou dehors. Il n'y a pas de passage à proprement parler. Zénon – on aurait envie de dire d'Ailé pour s'amuser, ou le zélé – disait : « Le mobile ne se meut ni dans le lieu où il se trouve, ni dans celui où il ne se trouve pas. »

– Ah oui ! la fameuse tortue contre Achille, mais il avait des problèmes de pied, celui-là.

– On se demande d'ailleurs comment la flèche a pu l'atteindre, et on pourrait critiquer Zénon sur la dialectique de ces deux apories.

– Ou le lièvre et la tortue !

– Rien ne sert de mourir, il faut pâtir à point.

– Alors pas de cocon ?

– Non, pas vraiment, sauf que la plume semble filer dans le temps par l'écoulement des phrases. Ce qu'on observe, c'est l'ombre du processus eschatologique.

– La danse de Shiva.

– Les mille voiles.

– Et une fois retiré le dernier voile ?

– Il n'y a plus rien à voir. On est dans la vision de Dieu.

– Métamorphose.

– Alors je me file moi-même. À même ma chair, à même mon sang. Prenez et buvez, mangez-en tous.

– Il ne s'agit pas d'un cocon ?

– Non. C'est ce qu'on appelle la chrysalide. Énorme différence. La mite (et l'écriture est une démystification des mythes et de leur processus : je renonce à Satan, à ses pompes, à ses œuvres) file autour d'elle, un cocon de soie. Dans la chrysalide, c'est ma propre chair qui se transforme totalement. C'est ma chenille de vie elle-même qui devient chrysalide.

– Et si on ouvre la chrysalide ?

– À l'intérieur, rien. Rien qu'une soupe liquide, la grande soupe primaire. Indistinction de toutes les molécules en voie d'individuation paradisiaque.

– Un long immense et raisonné dérèglement de tous les sens.

– C'est ça. Tu sais que dans la chrysalide, ce qui était molécule de digestion chez la chenille peut se transformer en molécule de cervelle chez le papillon.

– On ne sait pas ?

– On ne sait pas. La science se tait sur le processus de la métamorphose. C'est comme le Tao : essayez de le saisir et il disparaît. Tout le monde se tait sur la métamorphose.

– Sauf Kafka.

– Grande question. Comment une nature morte peut-elle prendre vie chez Cézanne ? Ou l'asperge chez Manet ? Asperge ! Asperge ! *Aspergemus Domine !* Il faut s'immerger dans le grand geste d'aspersion. Viendront Pollock et d'autres horribles travailleurs.

– On doit savoir quel genre de papillon va sortir de la chrysalide.

– Oui, on peut prédire quel papillon sortira de telle chenille ou de telle chrysalide, mais on ne sait pas comment la transformation s'opère. Mallarmé : « Appuyer, selon la page, au blanc, qui l'inaugure son ingénuité, à soi, oublieuse même du titre qui parlerait trop haut : et, quand s'aligna, dans une brisure, la moindre, disséminée, le hasard vaincu mot par mot, indéfectiblement le blanc revient, tout à l'heure gratuit, certain maintenant, pour conclure que rien au delà et authentiquer le silence. »

– On ne sait pas si ce sera un mâle ou une femelle ?

– Non plus. Rimbaud, cette fois, dans l'incroyable Lettre du Voyant : « si ce qu'il rapporte de là-bas a forme, il donne forme ; si c'est informe, il donne de l'informe. » Superbe, non ?

– La chrysalide serait ce fameux *Je est un autre*.

– Il ne faut pas oublier une autre lettre du Voyou des voyelles. À Izambard. Celle du 13 mai 1871, précédant de deux jours la lettre dite du voyant à Paul Demeny, où il élabore déjà sa formule métamorphique. C'est une question cartésienne. « C'est faux de dire : Je pense. On devrait dire : On me pense. Pardon du jeu de mots. JE est un autre. » On me pense donc Je est un autre. Voilà la formule.

– Ça fonctionne comme la chambre noire de mes appareils photo. C'est sans doute pourquoi on appelle objectif les lentilles de l'appareil. L'objectif, ce n'est pas le but, ni l'objet à photographier, c'est le système qui permet l'opération du Saint-Esprit. L'objectif, c'est du *plus*.

– Ou de l'autre.

– Je est un autre, oui. Et l'objectif transmet sur la pellicule...

– ...comme une transparence entre deux mondes semblablement identiques.

– Le réel de la réalité.

– Pour ainsi dire.

– Il y a souvent des surprises.

– Tout est là.

– En effet. L'appareil photo est un instrument, non pas de captage, mais de disposition.

– Très juste. Il faut être dispos. L'écriture dit la peau de l'Univers, la membrane qui chante.

– Le tympan.

– Cymbales sonores et tout le reste.

– Pourtant, on dit que Jérusalem céleste descend.

– C'est une approximation.

– Téléobjectif. Lunette d'approche.

– Voilà. Babylone que tu fixes dans ton objectif est là, foyer, ne bouge pas, puis soudain, Jérusalem sur la pellicule.

– Renversement.

– C'est ce qu'on appelle un cliché.

– Et en littérature un cliché...

– ...ça peut aussi être retourné. C'est alors que transparaît la soi-disant réalité dans toute l'horreur de son illusion.

– Ou le réel dans sa gloire.

– L'Ascension ou l'Assomption du monde. Deux perspectives. Une même chrysalide. Une même soupe. Puis un phalène-phallus ou une vanesse vaginale.

– Oh ! regarde le morpho bleu près du bougainvillier.

– Un agrément de l'univers.

– Et les chenilles ?

– Pas de sexe. Une machine à manger. Comme une armée. Une machine à préparer la transformation.

– Et le papillon ?

– Tchang Tzu : « Je ne sais plus si je suis un homme qui rêve que je suis un papillon, ou un papillon qui rêve que je suis un homme. » Ou plus clair encore, Lautréamont : « La mouche ne raisonne pas bien à présent. Un homme bourdonne à ses oreilles. »

– Alors toutes ces notes ?

– De la bouffe à chenille.

– Eh ! Lâche-moi !

Je lui mordille les pieds et les chevilles tout couverts de brindilles d'herbe. Je camoufle les papilles gustatives de ma langue. On papillonne et on folâtre. Chenille et larve. Doux nectar. Grand pollen.

– « Les oies sauvages ne cherchent pas à projeter
[leur reflet ;
L'eau n'a pas l'intention de capter leur image. »

– J'en connais un :

« Une fleur par terre
Qui retourne à la branche ?
Un papillon. »

Puis lutte des draps, guerre des oreillers. Rire généralisé. La scène s'éclipse dans un grand blanc.

De nouveau, ciel bleu dehors.

Je fume. « Toute l'âme résumée Quand lente nous l'expirons Dans plusieurs ronds de fumée Abolis en autres ronds. »

Le cigare s'éteint. La nuit transparaît. Grand noir.

L'univers est fait de petites choses.

Le corps de la pensée avale
déjà l'endroit où la nuit
poindra. Tu marches dans le
sable du passé, tu reposes
à l'eau des murmures présents.
Tu dis « quand tu m'aimais »
en riant. Je note que la crête
des vagues a sa chevelure en queue
de cheval. Tu n'es pas en selle
sur les principes. « Magnifique »
décrit l'acte où Jacob rencontre
l'ombre de l'ange.

– Tu médites ?

– Bien sûr, je médite. Ce n'est pas nécessaire, mais je fais la nuit sur le jour de ma vie, et tout s'éclaire.

– C'est une pratique ?

– Une attention au monde. Une paix... même pas une paix, mais comme une paix. Plutôt une équivalence. Une syntonisation à l'univers.

– Et le jour ?

– Ah, je médite le jour aussi. Je peux méditer jour et nuit. Le jour, c'est souvent éveillé, mais ça peut être retiré. Re-tiré, comme l'utilisation du fil à plomb chez Matisse. Ici, c'est une méditation permanente.

– Même si tu médites dans la méditation.

– Oui. Pure formalité. Ou reconnaissance. Comme le parcours d'un jardin japonais. Ah ! le Japon. Point rouge au cœur de la page. Sacré-Cœur.

– *Zen and now.*

– Tao ou tard.

– Et quand tu médites, c'est comment ? Mantra ?

– Mantra, non ; un bruit pour rien. *Sound and fury signifying nothing.* Quoiqu'il y ait un grand principe dans le OM ; connexion ; je t'expliquerai un jour. C'est une prière à moi-même. Une invocation de mon propre esprit. L'inconscient dans l'inconscient. L'imaginaire dans l'imaginaire. Et, comme dit la Grande Sagesse : Si tu ne le tires pas de toi-même, où vas-tu aller le chercher.

– Tu avais oublié ça ?

– Sans doute.

– Et alors ?

– Ça ne fait rien. J'y suis « que » je n'y suis pas. Peu importe. C'est la grande philosophie. Tu vois, ça m'a retrouvé.

– Pourquoi méditer alors ?

– L'écriture est une méditation.

– Pourquoi écrire ?

– La vie est une écriture.

– Pourquoi vivre ?

– Parce que pour d'autres la mort est une vie.

– Il va falloir que je médite là-dessus.

– Surtout n'y pense pas.

Journée de soleil parfaite. Une fille sur une planche à voile loin du rivage. Allons. Jumelles : monokini limon. Corps courbé par derrière. Voile pliée au vent. Bras étendus. Tension plaisante. Buste qui pointe au ciel. Belle offrande. Ferme firmament. Longue chevelure foncée qui taquine l'eau. Grand bronzage. Les muscles des jambes dressés comme un phare du mouvement.

Comment avoir deviné malgré la distance qu'il s'agissait d'une fille ? Simple. Superbe arabesque. La mer absolument nue, le ciel dénudé, sauf pour cet entrechat de corps et de voile qui claque, suspendu indéfiniment, au-dessus des vagues.

Sarah et moi qui commentons depuis notre poste d'observation dans la salle à dîner de l'hôtel Playa Nosara. Bel édifice à la grecque sur un promontoire près d'une pointe de rocher. Les dîneurs partis, les serveurs à la cuisine. Autour, le bleu des éléments et les nappes blanches où traînent les restes des repas, qui me font penser à autant de mouettes se chamaillant sur les débris d'une plage.

– Une journée, c'est déjà une prière exaucée, dit Sarah.

– Tu veux dire dans sa perfection ?

– Ou sa grâce.

– Encore mieux. La fastueuse gratuité.

– Et nous, entourés de squelettes de poissons et de carafes de vins chiliens...

– Il paraît.

– Chilien ?

– Non, que ce soit du vin.

– Tu exagères.
– Pas vraiment.
– On ne boit rien d'autre depuis notre arrivée.
– Si. Quelques brésiliens. Et là encore…
– Tu sais bien que les grands vins sont inabordables ici.
– Il n'y a que les grands qui soient réellement du vin.
– Et le reste ?
– Jus de raisin. Dernier cri californien.
– Tu en bois.
– Par défaut.
– Oui. On boit ce qu'on peut.
– Non, je veux dire que c'est un défaut chez moi de boire parfois ce qui passe pour du vin.
– Ah bon !
– Je n'y reviendrai pas.
– Oh ! Elle a presque versé !
– Elle est extraordinaire.
– Pour être aussi loin, sans ceinture de sauvetage.
– Tout le charme est là.
– Tout le risque.
– Le charme du risque.
– Mais quand on a la maîtrise !
– D'ailleurs la ceinture serait une insulte, une tache ignominieuse sur cette impudeur qui cajole le soleil.
– Toi aussi tu aimes bien la planche. Pourquoi ?
– Comme toi.
– Mais, dis !
– L'air est libre.
– Et l'eau ? Le contact avec l'eau ?
– Comme une caresse.
– Ou une immolation.
– D.H. Lawrence, que tu aimes bien, a écrit une histoire merveilleuse en ce sens sur le soleil et la Grèce, *Sun*. Mais ça se termine mal.

– Le Sud et la Méditerranée. Il y a des ressemblances.

– Très vrai. C'est la photo qui te fait dire cela ?

– Je ne sais pas. Des ressemblances d'opposition.

– Des intensités.

– Voilà.

– Tu sais, dans mon livre, et je retrouve ça dans tes photos, il y a ce qu'on a appelé le fonctionnement par opposition ou par similitude.

– Qui a dit ça ?

– Un pédagogue. Antoine de la Garanderie.

– La pédagogie devant une table de vin...

– Et une fille qui baise l'eau...

– Le blanc et le bleu.

– Ce serait peut-être justement la couleur de la pédagogie.

– Bleu, blanc, rouge. Ah ! les Français.

– Tu sais, les Grecs ont été de grands pédagogues.

– Épicure.

– Surtout. Science et plaisir. Que disait Rimbaud ? « Science et patience, le supplice est sûr. » Science et pas science. Donc j'en conclus comme Épicure que les molécules dansent dans le palais du goût.

– Et de la Garderie ?

– Garanderie. Des choses fascinantes. Que la compréhension se fait verbalement ou visuellement. Qu'on a un entendement par globalité, si on est visuel, donc on joue de l'espace ; une compréhension séquentielle si on est verbal, alors on culbute le temps. Qu'il y a des êtres qui fonctionnent par opposition – c'est ainsi qu'ils trouvent leur identité ; d'autres qui sont composants. Et je vois très bien pourquoi il est important pour un pédagogue de se connaître – connais-toi toi-même –, car il doit être à l'écoute de l'autre. Si l'on est composant, et l'autre opposant, il faut le reconnaître et trouver les exemples qui évoqueront la compréhension chez son interlocuteur.

Alors moi, je vois bien qu'il peut y avoir des oppositions de similitude et des composants de différence, on en trouvera plein dans mon livre où il est question d'ailleurs du déroulement de l'espace et de la place du temps.

– C'est une merveilleuse description de l'été que tu viens de faire. L'éternité de l'espace et l'infini du temps.

– Ce qui revient à dire un espace sans dimension et un temps sans suite, où l'on a lieu dans le moment. À la séquence suivante.

– Tu es principalement visuel.

– ?

– Tu as dit « *où* l'on a lieu » et non *quand* on a lieu.

– Ah ! Ha !

– Tu peux vivre hors de l'été ?

– Non. Il n'y a que ça.

– Hors ou dans ?

– Le beau chapelet !

– Ah oui ! Je suis...

– J'ai été...

– Je serai.

– Être.

– Été.

– Elle est retrouvée encore, l'éternité.

– À la recherche du temps perdu.

– Le temps retrouvé. Tu sais, selon la Garanderie, il y a des découvreurs et des inventeurs.

– Ce n'est pas du tout la même relation à la vie.

– J'ai lu dans un guide l'autre jour cette anecdote au sujet d'un apprenti sorcier Chorotega qui s'était présenté devant son maître shaman. Ce dernier lui a demandé : « Où chercher ? » L'apprenti, rusé, a répondu : « Dans la quête même. » C'est d'ailleurs un grand concept spirituel. Mais plusieurs mois plus tard, l'apprenti se trouvait toujours dans la plus grande perplexité. Il s'est présenté de nouveau devant le shaman, et c'est lui, cette fois, qui a demandé, humblement : « Où chercher, Maître ? »

– Qu'a-t-on répondu ?

– « Dans la découverte, mon fils. »

– Ah ! c'est bien. Mais est-ce juste ?

– Comme tout, c'est un outil d'éveil.

– Et toi, tu cherches où ?

– Je ne cherche pas.

– Tu inventes alors ?

– Non plus.

– Alors, le sens pour toi ?

– Le sens ? Une fille nue qui se branle au mât de l'été sur l'océan des âges.

– Jette l'ancre ! Embrasse-moi !

– C'est fait !

– Odieux !

– Merveilleux !

– Ah !

– Oh !

– Om !

– Le grand orgasme.

Rire dans l'éclat et rire dans la paix.

À fleur de l'eau, caresse
des pélicans sur le spasme
des vagues. Quelques taches
de nuage dans le drap
du ciel. On pourrait penser
que la gratuité du monde est
évidente. Tu passes, chapeau
jaune qui salue la transcription
de toute chose. Long regard flottant
sur le passage d'une liberté.

– Où allons-nous ?
– À Cartago.
– C'est loin ?
– On ne revient pas aujourd'hui.
– Cartago. Carthage. Une ville faite de ruines ?
– En effet.
– Raconte.
– Cartago. Les débuts de la culture costaricienne et la capitale du pays pendant près de 300 ans. Établie par Juan Vásquez de Coronado venu d'Espagne comme gouverneur en 1562. Christophe Colomb y a séjourné dix-sept jours lors de son dernier voyage en 1502. Dans les années qui suivirent, les premières tentatives de colonisation échouèrent. Mais lorsque Coronado mit pied au pays, il découvrit un groupe d'Espagnols et de *mestizos* qu'il fit déménager à une altitude de 1 435 mètres dans une vallée entre la Cordillère Centrale et celle de Talamanca, près du volcan Irazú. En 1563, Cartago est devenue la capitale du pays.
– Pourquoi Carthage ?
– Qui sait ? Conquête ? Rétribution ? On sait que Carthage avait conquis l'Espagne qu'elle perdit lors de la deuxième guerre Punique. Prémonition ? Des tremblements de terre en 1823, 1841 et 1910 ont détruit presque tous les vieux édifices. Rasés par Irazú ! Le tremblement de 1910 a interrompu la construction de la cathédrale au centre de la ville. Les ruines ont été transformées en un jardin fort plaisant. Mais le plus

intéressant se trouve dans la basilique de Notre-Dame des Anges, à l'est de la ville sur la route d'Irazú, où l'on retrouve une statue miraculeuse de la Vierge appelée « la Negrita ». La Basilique a été détruite par le tremblement de terre de 1926 et reconstruite, bizarrerie, dans le style byzantin. La Vierge serait apparue à une jeune paysanne le 2 août 1635. Par après, on a retrouvé sur les lieux, une statuette de quelques centimètres, noire elle aussi, identique à l'apparition. Noire comme l'apparition accélérée dans la vision des pauvres et des démunis. La statue a mystérieusement disparu – certains disaient qu'elle avait été enlevée –, puis elle est réapparue. On a donc construit un petit oratoire sur les lieux pour l'y placer; la basilique s'est érigée autour du miracle et est devenue un lieu de pèlerinage. La Negrita est considérée comme la patronne du Costa Rica. Le 2 août, on fête la Negrita et une procession s'organise de San José à 22 kilomètres de distance.

Ce soir-là, rêve. Une femme noire. Elle est noire tout simplement. Lorsqu'elle me parle, les lèvres sont toutes proches. Rouges. Immenses. Une langue qui fait songer à un divan. Je me dis : je pourrais m'étendre là, dans cette « bouche de fraise » de celle qui sait la science de perdre au fond d'un lit l'antique conscience. Puis, soudain, je revois le bureau de noyer dans la maison de ma grand-mère, devant la fenêtre qui donne, par delà la galerie, sur la pelouse du presbytère voisin; la grande nappe verte du sous-main, l'encrier en bronze, le papier buvard dans son contenant en demi-lune, le chiffre, en bronze aussi, de mon grand-père, qui se termine en tête de Janus (mon initiation secrète, pour ne pas dire inconsciente, aux mystères) et qui avait fait une vive impression sur moi dès les premières années de ma vie, puis les traces d'encre sur le sous-main où je décelais des univers, encore plus que dans les lettres que j'apprenais à tracer sur le vieux papier d'emballage brun ; les tiroirs où l'on avait rangé des photos et du papier à lettre, des photos, des photos...

Le lendemain... soleil dans la chambre. Portes-fenêtres. Très petit balcon. Assez pour s'y tenir. Vue sur la basilique. Il y a des fantômes partout qui se promènent dans les rues de l'ancienne capitale. Des ombres de nuages qui s'y frôlent peut-être. Sarah derrière moi qui me prend par la taille : « Et la dame en noir ? »

– La dame noire ! Tu savais ?
– Cette nuit, tu parlais dans ton sommeil.

Suit un long pèlerinage des yeux dans la distance. Je me rappelle alors cette histoire que Sarah m'avait racontée d'un photographe obsédé à prendre un gros plan de l'horizon.

Ah ! la magie nous laisse toujours bouche bée dans l'éveil. L'oracle du silence. Émerveillement quand tout est suspendu.

Le travail de l'inconscient n'est pas du tout subtil. Il est si évident qu'on l'ignore. Preuve : les rêves des autres sont faciles à interpréter. Les nôtres : obscurantisme. Krishnamurti avait-il raison de dire que si notre esprit était clair, on dormait sans rêver ? Il y a du vrai là-dedans, mais j'ai des réserves. Shakespeare : «*To sleep: perchance to dream: ay, there's the rub.*» Quoiqu'il en soit, celui qui est attentif à ses rêves détient, comme on dit communément, la clé de sa personnalité. *Personne* : mot d'origine étrusque : masque de théâtre. Rimbaud : « Il n'y a personne ici et il y a quelqu'un. » Encore : « Je suis caché et je ne le suis pas. »

Plus le rêve est grossier, plus il saute aux yeux. Vaudeville, mélodrame. Bande dessinée ? Non. Couleurs ? Ou blanc et noir ? Peu importe. Disons couleurs. Tout s'estompe pour la brute du réveil. Pourtant, il est simple de noter ses rêves. Travail nocturne essentiel à l'écriture. Carnet, plume, petite lumière. On jette les jalons, ou bien on écrit tout, puis on se rendort, facilement. Combien de rêves ? Allons pour le chiffre du chat. Neuf vies par nuit. On n'a qu'à se réveiller aux plus intéressants. Il est facile de choisir au cours du sommeil même. Troisième œil, etc., ou petit programme d'ordinateur interne.

L'activité de l'inconscient n'est pas limitée aux rêves. Loin de là. On la retrouve dans les parures, les parlures, dans l'interdit et la transgression, jusque dans l'imparfait du subjonctif, plût au ciel ! Dans les sentiments, évidemment, dans les actes, les accommodements, les contradictions, le contresens, le malentendu.

Engramme : vouloir posséder l'avenir. L'inconscient : transparente transcription de l'incertitude du choix. Traumatisme : choc d'un choix imposé.

Au fond, tout est là : entendement ou pas, et Malebranche a peut-être raison, à tort, de dire que « par ce mot, entendement pur, nous ne prétendons désigner que la faculté qu'a l'esprit de connaître les objets du dehors sans en former d'images corporelles dans le cerveau pour se les représenter ». Pour-soi/en-soi.

Derrière tout ça, une question : qu'allons nous devenir ?

« L'*être* est ce qui exige de nous *création* pour que nous en ayons l'*expérience*. » – Merleau Ponty.

Fin d'après-midi accablante. Nous retournons vers San José. Je me suis endormi rapidement et me suis réveillé dans l'auto qui roulait toujours. Puis ce fut la longue banlieue, avec ses constructions plus modernes parmi les petites maisons de chaux, les places irrégulières, non nivelées, encombrées de décombres, les rues montantes, et le grouillement.

Nous nous sommes arrêtés près de la place du marché central, à l'enseigne du butor. Dès que je me suis trouvé sur la place, j'ai été pris et assourdi par la stridence, par tout le bruit, les grandes affiches, la foule. Magasins et cafés, voyageurs et passants au visage profondément étranger, sans doute comme le mien, résidants à l'allure lente. Nous avons beaucoup marché, Sarah et moi, comme dans un très lent vol imperturbable.

Devant, derrière, et tout autour de nous : un spectacle immense et presque solennel, tellement animé ! Carrefours. Étalages. Vendeurs. Objets. Cérémonie déployée. Sans doute, je n'en ai jamais ressenti plus profondément l'atteinte, avec tant d'ampleur, parmi les conversations, les cris, les sifflets. Le tumulte sourd, les heurts. Et pourtant, j'ai été enchanté par la lumière de perle et d'ambre si merveilleusement diffusée, renvoyée, vibrée, à cette heure du jour, dans ce pays heureusement encore plutôt sauvage.

Puis la nuit descend. Nous avions marché toute une journée sans nous rassasier, de nourriture du moins, car nous n'avions pas vu filer le temps. Sarah dit : « Trouvons l'hôtel. »

Je regarde les lumières flottantes.

Réveillés tôt le lendemain.

Rues toutes envahies de sommeil, de la respiration régulière du sommeil. Blancheur luisante. Surcroît de blancheur. Superbe harmonie que je reconstitue présentement. Tache d'ombre semblable à une éclaboussure.

Rues pauvres, réseau simple, tout l'intérêt réside dans le découpage qu'offre la disparate de ses éléments accumulés, entassés, signaux lumineux, affiches, enseignes utiles ou pas, certaines peintes à la main, en lettres noires et éclatantes, d'une persistance qu'aucun soleil ne pourrait jamais atténuer ; et cela dans un pays où les indications routières font étrangement défaut. Ou peut-être pas si étrangement : comme une invitation à parcourir le texte de sa grande simplicité où réside sa luxuriante nature. Le génie du lieu.

Photographies que Sarah fait pour moi au cours de la promenade. Ici une paroi travaillée par l'usure créatrice ; là un mur éblouissant traversé par l'angle d'ombre d'un bananier ; délabrement d'un vieux camion Mercedes qu'envahit la jungle – salut ô toi Breton ! ; calendrier tout bruni où l'on décèle le visage de l'Immaculée, comme l'Image sainte de son Fils sur le Voile de Véronique (qui est né dans les linges reposera dans les linges), s'épanouissant soudainement au cœur d'un mur de tôle ; admirable fenêtre encadrée par le jaillissement pourpre des fleurs ; le tressage ondoyant de la lumière dans la masse compacte des plantes grimpantes d'une porte d'accueil plantée là en plein milieu de nulle part ; frémissement intime d'un rideau pêche qui donne dans un intérieur sombre ; ou par ailleurs, cette autre photo de meubles au milieu de la végétation ; reproduction en ciment d'une sculpture précolombienne près de pots cassés, terre battue. Tout, toujours, au milieu de... en plein cœur... Entourage complexe, profondeur jusque dans le plus modeste détail. Et pourtant, il n'y a rien là, ou presque. Secret à trouver. Mystère à comprendre.

Dans le vieux marché, grande chaleur, bousculade, bruits intenses. Tambour à la tête. Sarah me montre un vestige de poterie. Le dessin déjà à demi effacé. Je suis transporté. Parfois la perspective est une affaire de transcendance.

Du coin de l'œil, Sarah, et devant, le regard absolument vide de la vieille marchande.

Sur le coup, exode en terre d'exil. L'ubiquité est un déplacement sur place. Ou bien une madeleine :

Deux reliefs jumeaux sur le linteau d'une porte qui conduit aux chambres intérieures du tombeau de Houya – intendant de la Grande Épouse royale Tiyi – révèlent un secret interdit. Dans le tableau de gauche, on voit Akhnaton et Néfertiti, côte à côte, avec leurs quatre enfants devant eux. Celui de droite montre, assis face à face, Akhnaton et sa mère Tiyi, toujours identifiée dans les cartouches comme la Mère du Roi et la Grande Épouse royale, et cela douze ans après la mort de son mari Aménophis III, père d'Akhnaton. Là encore quatre enfants, pour faire pendant à l'autre tableau : trois derrière la reine Tiyi, puis la princesse Bakétaton devant Tiyi, entre elle et le pharaon. Bakétaton est identifiée comme étant la « propre fille bien-aimée du roi ». Si on compare la taille des enfants dans ces deux tableaux, Bakétaton aurait l'âge de la troisième fille de Néfertiti, environ huit ans.

Ainsi la question se pose... Comment cette fille

de huit ans peut-elle avoir eu pour père un roi décédé douze ans auparavant ?

Un autre tableau de cette sépulture montre bien quelle place Tiyi occupait. On la voit à la gauche de la représentation, face à Akhnaton au centre ; Néfertiti est assise derrière son mari. Le psychanalyste américain Immanuel Velikovsky, qui a bien étudié ces tableaux a écrit un merveilleux petit livre intitulé *Œdipe et Akhnaton*, où il avance la thèse que c'est Akhnaton lui-même qui est à l'origine du fameux mythe grec. Le livre a été très critiqué lorsqu'il est paru en 1960, mais les fouilles récentes et les analyses des égyptologues confirment de plus en plus cette thèse.

« *A great work of art, if it accomplishes anything, serves to remind us, or let us say to set us* dreaming [je souligne], *of all that is fluid and intangible. Which is to say, the* universe [souligné dans le texte]. *It cannot be understood; it can only be accepted or rejected. If accepted we are revitalized; if rejected we are diminished.* » – Miller.

Alors tout tourne autour d'un rien.

– Tu dis : Miller, chaque fois qu'il ouvre une porte, il se braque la binette. Je te dis que ce n'est pas ça. Tu veux dire la pinette. D'ailleurs, le sexe, y'a rien là. C'est l'écrit du sexe. C'est la description qu'en fait Miller. Pensons à l'exaspération et l'exhaustion qu'en fait Sade. Femmes, vagins, positions, ce sont des coordonnées dans la conjonction de sa phrase. Ellipse dans la liberté. Pas la binette, ni la pinette, le style, comme on dit, c'est la mesure de l'homme.

– Et toi alors ?

– Moi *idem*. Mais modestie. Il ne faut pas être excessif dans la description de l'érotisme, il faut être absolu dans la suggestion de l'impossible.

– Bataille ?

– Il a vu loin.

– L'œil fécal, l'œil de bronze. Vision à la queue leu leu.

– Le loup dans la bergerie des pianos à queue.

– Musique des sphères. Dépense des sphincters.

– Qu'est-ce que je te disais... Bataille. Beau nom. Le combat avec l'ange. Tout est là.

– L'échelle des cieux.

– Ou de la terre. Un ancien philosophe allemand, avec un beau nom lui aussi, Angelus Silesius, a écrit : « L'œil par où je vois Dieu est le même œil par où il me voit. »

– Pyramide. Œil. Dollar américain.

– De la merde.

– Allons aux chiottes.

– Ensemble. Que je t'entende pisser accroupie.

Détour sur la voie du retour.

La forêt de Manuel Antonio à contre-jour. Du gris au gris noir ; et juste devant : verdure, rose, lilas et pêche. Et loin derrière tout ça, le jour qui s'estompe. L'eau, petits rochers, le ciel, les nuages, le tout baigné dans une brume légère. L'air plutôt tranquille. Les oiseaux dans l'odeur du temps qui change. Surtout, la lumière tamisée. 5 h 10, un détail !

– Tu crois à l'au-delà, toi ?
– Oui et non. Et toi ?
– Non et non.
– Pourquoi non ?
– Je ne crois pas que Dieu existe. Ni Jung, d'ailleurs.
– Moi non plus.
– Alors pourquoi oui ?
– Parce que je vis comme s'il existait.
– Bel hommage.
– C'est la seule attitude.
– Folie ?
– Peut-être ! Pourquoi pas ? Mais excessivement raisonnable.
– Raisonnable ?
– Ou mystique.
– C'est le pari de Pascal, au fond.
– Au fond. Mon comportement n'est donc...
– ...pas religieux.
– Pas du tout. Il est divin.
– Ça choque.
– « Moi non plus, je ne vous dis pas par quelle autorité je fais cela. »

Le temps file. Je le sens. Il faut faire vite.

– Passons à l'action.

– Mais nous avons tout le temps.

– Justement.

Sarah, nue, indolente dans le hamac.

– Regarde cette brise bleue au-delà des arbres. On peut rester longtemps dans cette émotion.

– Évidemment.

– Alors pourquoi bouger ?

– Je n'ai pas dit bouger. J'ai dit passer à l'action. Action, sensation, empreinte du temps, l'espace vient à nous.

– Tu veux dire comme une vitesse de lumière.

– Exactement. Émotion. Encore une marque. Paysage aussi, passage du temps. L'habiter, c'est être sage. À l'abri de l'usure. Voilà l'action efficace.

– ... dirait Rimbaud.

– Ou son frère. Écoute :

« Le ciel est, par-dessus le toit,
Si bleu, si calme !
Un arbre, par-dessus le toit,
Berce sa palme.

« La cloche, dans le ciel qu'on voit,
Doucement tinte.
Un oiseau sur l'arbre qu'on voit
Chante sa plainte.

« Mon Dieu, mon Dieu, la vie est là,
Simple et tranquille.
Cette paisible rumeur-là
Vient de la ville. »

– Pair et impair. Curieux non ?

– Huit et cinq ; un alexandrin allongé sur l'*e* de la finale. Ce qu'on appelle treize à la douzaine. Un *baker's dozen*.

– Belle pâtisserie de musique avant toute chose.

– « Et pour cela préfère l'Impair. »

– « Plus vague et plus soluble dans l'air. »

– « Sans rien en lui qui pèse ou qui pose. »

– « Il faut aussi que tu n'ailles point
Choisir tes mots sans quelque méprise :
Rien de plus cher que la chanson grise
Où l'Indécis au Précis se joint. »

– Méprise et reprise. L'importance de la répétition. Dans le dernier quatrain, deux vers quasiment identiques. Antépiphore. Répétition et leçon :

– « Qu'as-tu fait, ô toi que voilà
Pleurant sans cesse,
Dis, qu'as-tu fait, toi que voilà,
De ta jeunesse ? »

– Ça fait minimaliste, ce poème.

– Effet haïku. Poème classique japonais. Trois vers, heptasyllabique, pentasyllabique, heptasyllabique. Arbre, oiseau, ciel. Action efficace, pratique de la non-action. *Wu-wei*. Nietzsche, le gai savoir : « Être noble – ce serait peut-être alors avoir des folies dans la tête. »

– Socrate : « Je sais que je ne sais rien. »

– Alors là, Hegel : « Le contenu de la vérité est l'esprit lui-même, le mouvement vivant en soi. »

– Encore un long immense et déraisonné règlement de compte.

– Oui. Mais il n'y a rien à faire.

– Rien à dérégler au fond.

– Retournement rapide.

– Sans temps.

– Hors du temps.
– Pourtant...
– Vélocité ou situation. L'un ou l'autre.
– On ne peut pas habiter...
– Wittgenstein, *De la Certitude* : « De ce qui à moi, ou à tout le monde, il en semble ainsi, il ne s'ensuit pas qu'il en est ainsi. »
– Le Tao, quoi !
– L'innommable. Wittgenstein encore, *Tractatus Logico-Philosophicus* : « Ce qui se reflète dans le langage, le langage ne peut le représenter. »
– Et les mille milliards de manifestations ?
– Mon nom est légion.
– On ne peut pas être à cheval sur les principes.
– Théorie des relations d'indétermination.
– Science. Mystère dans le mystère.
– L'obscurité dans l'obscur ; la porte de tout mystère, dit le Tao.
– Dis encore.
– « Le Tao qui peut être dit n'est pas le Tao éternel. Le nom qui peut être nommé n'est pas le nom éternel. L'innommé est à l'origine du ciel et de la terre. La nomination est la mère de toute chose. Sans désir, on voit le mystère. Désirant, on voit les manifestations. Ces deux proviennent d'une même source, mais ne portent pas le même nom ; voilà qui paraît obscur. L'obscurité dans l'obscur. La porte de tout mystère. »
– *In saecula saeculorum*, et ainsi de suite.
– Du latin *saeculum*, génération, race, espèce ; *saeculum muliebre*, le sexe féminin.
– Théâtre.
– Lever de rideau.
– L'impossible.
– Voilà, c'est fait.
– Quoi ?
– L'inaction.

– Quoi ?
– Elle est retrouvée !
– ?
– L'éternité. C'est la mer mêlée au soleil.
– Je vois.

Tu ouvres la serviette de l'impudence.
Volumes. Volutes de volume. Ce
qui se dit arabesque. Lacis d'ombre
et de lumière dans les arbres tordus.
Je vérifie ton état de corps. Marée
montante. Baise. Marée basse. Bain.
Ou plongée : poissons, reflets Rothko.
La légèreté est relative.

Été équatorial. Je léchais son cul. Le soleil filtrait par les vénitiennes. Lentes hélices du ventilateur. Longues lampées. Rayons électriques. Ma face inondée. Lumière liquide. Jets. Bulles, molécules. Frénésie d'atomes. Comme un chant en dissolution. Les éléments essentiels de l'être qui se concrétisent en une vision paradisiaque du monde.

– Aaah!

Affaissement des deux corps. Elle sur le ventre, moi sur le dos, baigné de gloire. C'est le sentiment que donne l'écriture. Poussière de soleils.

Elle dit: « J'étais avalée par les plus brillantes ténèbres. *So dark. So bright.* »

Puis le retour de la mer sur ma mémoire. Il faut se baigner dans la mer la nuit. On plonge. Longue nage sous l'encre. Remontée. L'eau gicle. La lumière perle partout. Brillance dans la nuit la plus noire. Inimaginable beauté. Incroyable merveille. Splendeur lumineuse de la nuit en molécules d'eau, voilà ce que c'est. Une splendeur. C'est ça. Luxueuse magnificence de la grâce. Solution. Dissolution. La voie de la transparence. Grande lactée. Ô Mallarmé dans une chaloupe nommée Palomar. Baudelaire en Concorde sur le sol des nuages. Atomisation. Grand atterrissage.

Elle retrousse une manche de son t-shirt. Effet garçon. Attitude fille. Elle me dit : Là ; regarde où j'ai été piquée.

Araignée. Tarentule. Serpent. Je mords, je suce et je crache. Sur tout cela je prête serment.

– Assez, assez, dit-elle.

Un autre jour : « Pas si vite, pas si vite », dit-elle quand je fonds sur le colimaçon de son nid.

Puis, il y a les conversations des jours ordinaires.

– T'es fou !
– Non, c'est toi qui es impossible.
– Tu as écrit sur mes photos.
– Tu as lu mon livre.
– C'est pas pareil.
– Tu portais des verres fumés.
– Tu avais promis de me faire un café.
– Il faisait noir.
– À peine.
– T'es belle.
– Je mets la bague ou le bracelet ?
– Pas de bijoux.
– Le collier en or ?
– Le chiffon noir.
– Toi, ta boucle de matelot.
– Pas de camisole.
– T'es fou !
– ... pas possible.

– C'est très beau. J'aime comment tu fais entendre la fuite des choses, le flou de l'espace dans le concret, l'ultra présence de la photo.

– Une formule magique qui m'est chuchotée tous les matins.

– Toujours tout recommencer.

– Toujours. Chaque nuit, c'est la disparition des choses, la fin des temps. Le matin, début apocalyptique, genèse glorieuse. Réveillée, je suis née à nouveau. Émerveillée sur un trapèze suspendu au-dessus de la mort, comme un conseiller qui veille près de mon épaule.

– Le vieil ange gardien qui guide le précipice.

– Tu veux dire qui guide au-delà du précipice.

– Au-dessus, au-delà, non. Grande illusion de penser que l'ange protège nos pas. Au contraire, il fait apparaître le précipice, en invente les détours et les profondeurs, fait surgir les crevasses, c'est notre propre esprit qui danse au devant du danger. Petit test, grand labyrinthe, *La Flûte Enchantée*. Cet ange, c'est le diable.

– Mais il y a les deux. Le bon ange et le mauvais ange ; l'un à droite, l'autre à gauche.

– Et nous sommes au milieu. L'ange et le diable, c'est le même, et le même, c'est nous. « Le Seigneur Suprême se trouve au cœur de chacun et il dirige les agissements de tous les êtres vivants. » C'est ce que dit le *Bhagavad-gitâ*. Tu sais d'ailleurs que le Même, c'est un nom qu'on a donné au diable.

– Et à Dieu.

– Aller du côté de la vertu : sottise. Aller du côté du vice : étourderie. Quoique Sade ait d'autres idées là-dessus. La Voie du Milieu, de l'Orient à l'Occident. La Voie, la Vérité et la Vie. Victoire. Le grand V. Enfourchement. À la pointe des deux branches. Profondeur et jaillissement. *In and out.* Les deux sexes. Réfléchissez le V et vous avez le Diamant. Le Grand Véhicule.

– C'est comme ça que je me sens. Emportée. Dans un grand char d'argent. Éblouissement de la nuit, pour ainsi dire. Étincelle dans ma chambre noire.

– On a composé beaucoup de nocturnes, très peu de diurnes.

– Mozart.

– C'est vrai. L'éclat du cristal avant l'évanouissement.

– Ou l'emportement. Léger. Léger. Léger. Léger.

– C'est grave, la légèreté.

– Accent grave. Accent aigu.

– Chapeau !

– ...(rire)...

– Tu travailles toujours en noir et blanc ?

– Toujours.

– *Semper eadem.*

– C'est du latin ?

– C'est du Baudelaire. Tout finit par du Baudelaire.

– ?

– Tu verras. Un jour, tu verras.

L'écriture est comme l'âme, partout, mais invisible. Son effet, par contre, est apparent. Sauf ceci aussi : il s'agit bel et bien d'un corps d'écrivain.

Tout cela reste une approximation. Shunryu Suzuki l'a mieux dit : « Notre corps et notre esprit ne sont pas deux et ne sont pas un. Si vous pensez que votre corps et votre esprit sont deux, c'est une erreur ; si vous pensez qu'ils sont un, cela aussi est une erreur. Notre corps et notre esprit sont à la fois deux et un. Nous pensons généralement que si une chose n'est pas un, elle est plus qu'un ; que si elle n'est pas singulière, elle est plurielle. Mais dans les faits, notre vie n'est pas seulement plurielle, elle est aussi singulière. »

Le corps est essentiel à la conscience : « c'est ce qu'elle est : elle n'est même rien d'autre que le corps, le reste est néant et silence », dit Sartre dans son livre au beau titre taoïste, *L'Être et le Néant.*

L'existentialisme est un humanisme : « L'homme n'est rien d'autre que ce qu'il se fait. » « L'homme est d'abord un projet qui se vit subjectivement… »

Heidegger : « Je suis l'être par qui il y a de l'être. » Ou Merleau-Ponty : « Je suis la source absolue. »

Je te regarde. Qui es-tu ? Rien. Un corps avec une apparence sans nom.

Jaune pêche. Bleu grisâtre. Tu
berces dans la chaloupe de la
légèreté. Fantaisies. Charme. Tu
es modeste dans l'exubérance
du soleil. 300 000 km/seconde.
8 minutes. Le temps d'un coït
coincé entre deux sommeils.
Menues distractions. Nage dans
l'indolence. La gravité
a sa propre orbite.

Étalées sur le lit, des photos vibrantes que Sarah a prises de moi dans la chaleur de l'été. Développées dans sa petite chambre noire portative. Photographier au cœur du jour, ce n'est pas facile. Elle voulait ces photos fantomatiques, me voulait effacé par la grande clarté, comme une belle lutte entre l'encre de la nuit et la transparence du jour.

Elle va et vient, redistribuant l'ordre des clichés. «*It won't do! Won't do at all!*» « Celle-là n'est pas mal ! » « Ah oui ! »

Moi, je fume le cigare en lisant dans le fauteuil au seuil de la porte qui donne de la chambre à la terrasse.

Je note avec intérêt que c'est un 10 novembre (1880) qu'est signée la lettre de confirmation de travail, Bardley-Rimbaud. C'est une aventure en Afrique orientale qui le conduira à sa mort (10 novembre 1891).

Rimbaud est allé chercher l'Éden à Aden. Mais sa saison en enfer ne s'est pas terminée. Tout cela a été un véritable « Harar » ou « Horor », comme l'orthographie Frédéric, le frère de Rimbaud, dans une lettre à Rodolphe Darzens. *Horror*. Horreur. *The last hurrah!*

Notons les photographies de Rimbaud. Leur qualité. Elles sont toujours en « décomposition ». Celle du Marchand de Café au Harar. Le foyer est assez précis, mais le marchand a bougé ou... Son visage est flou. Devant lui, les éléments disparates ; et les colonnes morcelées.

Autre photo : Le Marché de la Place Centrale. D'un flou... La masse de la population se disperse dans la masse des taches.

Prenons les portraits de Rimbaud maintenant. Dans les trois, le visage est absorbé au moins partiellement par le paysage (ou le processus photographique). Debout sur les rochers, tout habillé de blanc. Les ombres du visage mêlées aux ombres du paysage lui donnent un air négroïde (encore et toujours la mer mêlée au soleil).

L'autre : la coupe de cheveux qui lui fait comme un fez sur la tête ? Là encore, le visage qui est taché, comme le jardin.

Et l'autre : même effet sur le visage que la texture des feuilles du bananier. Et encore.

Une note de Delahaye répondant à une demande de renseignements de Verlaine, du 29 novembre 1887 : « On a perdu sa trace vers 1879, mais quelqu'un l'a rencontré à Aden. Il a été amputé d'une jambe, mais d'autres informations... » Ce n'est que le 27 mai 1891 que Rimbaud a été amputé.

Quel sortilège !

Devant moi, un mannikin qui pose dans l'arbre du coucher. Plumage. Noir noir. Rouge rouge. C'est tout. Mais c'est tout.

– On sort ce soir ?
– Si tu veux.
– Je veux.
– Bien.

Là voilà en jeans. Pieds nus. Ruban noir au cou. Torse nu. Cette fleurette de poils presque roux au nombril, où ma langue s'arrête. La commissure des lèvres où le rouge de l'après-midi a disparu. Glaçons de ses yeux où le fard a coulé. La chevelure blondine qu'elle a relevée en suave et somptueuse calligraphie japonaise, que je vois déjà se défaire, que je m'apprête à manger – comme les pâtes viennent avant l'appétit. Ceinture-toi du soutien-gorge que tu remontes si paisiblement. Distraitement ? Longs ongles laqués d'ivoire, sous la bretelle bleue. Il faut que je déhanche ces jambes, sans slip jusqu'au pubis effronté. L'odeur de safran qui s'y dégage. Auréole. Aréole. Aurore. Le suc de sa lune qui verse, déverse, renverse. Et la plaie de ma bouche qui se referme.

Il est difficile de dire ce qui va apporter le bonheur, ou la joie. Là, le tournant de la route devant moi. Où je suis passé tant de fois, que j'ai peut-être déjà beaucoup aimé. Mais là... pas la verdure luxuriante, pas les couleurs des papillons, ni le chant des oiseaux, mais ce chemin, simple. Voilà ! Comme le passage même du bonheur. Ouverture qui ne mène nulle part. Sauf à soi. Qui est là. Une longue pratique pour y être. Souvent ou toujours. Et je crois que rien n'y prépare. Que ce point est éternel, mais que le corps-matière ne peut y habiter longtemps, trop lourd, trop malaisé pour y passer, qu'il faut petit à petit se créer un autre corps pour pouvoir y voyager avec aise, un corps qui est comme une âme. Un corps de lecture ou d'écriture, car en lisant ou en écrivant, j'y arrive par enchantement. Comme si l'écriture créait un magnétisme plus concentré de mon être vers ce point aimanté. Un véritable sur-réel. Survolté un moment. Survol de la planète. Comme au cœur vibrant de l'univers.

Grand héron blanc sur le lagon
de mon sommeil. Rupture
de rêves. Ce qui peut arriver
au monde m'est de la plus complète
indifférence. ¿Y a mí qué? Mer. *Bière.*
Puis de nouveau sieste au balcon.
Messiaen *pour la fin des temps.*
L'oiseau de paradis est aussi une fleur.

En ces temps-là, le ciel se mit à se couvrir de passages nuageux. La mer avait-elle changée ? Elle, imperturbable, aux mille visages, disent les pêcheurs. ¡ *Hola ola* ! Je te salue, vieil océan !

« Vieil océan, ô grand célibataire, quand tu parcours la solitude solennelle de tes royaumes flegmatiques, tu t'enorgueillis à juste titre de ta magnificence native, et des éloges vrais que je m'empresse de te donner. Balancé voluptueusement par les mols effluves de ta lenteur majestueuse, qui est le plus grandiose parmi les attributs dont le souverain pouvoir t'a gratifié, tu déroules, au milieu d'un sombre mystère, sur toute ta surface sublime, tes vagues incomparables, avec le sentiment calme de ta puissance éternelle. »

Les pêcheurs décèlent dans la mer autant de variations que les Inuit détectent de dégradés de blanc dans la grande neige de l'Arctique.

Longue marche dans la direction de *Playa Garza*. Pas un corps ne pèse sur la plage du jour. Course des lézards à la lisière des hautes herbes. Mouvement dans le ciel, lacis d'ombre laiteuse et de lumière. Cataractes dans l'œil-de-bouc de Dieu. Écume large mais paisible des vagues. Cette palpitation du ciel au-dessus de moi, que je sens plus que je ne le vois, comme si le firmament était une vaste voile tendue au vent.

Sur la voie du retour, incroyable légèreté de la plage qui danse au tempo des passages ombrés. Je suis au cœur de ce tassement de l'atmosphère et de cette molécularisation d'azur large et profond. Au cœur.

Sur la terrasse, pétales de *corteza amarilla* ; petite note sur la table : Je T'Aime, Mais Je Pars. Pour Un Temps. S.

(Sic.)

Ah oui ! Le soutien-gorge de dentelle noire avec lequel j'essuyais les taches d'encre drapé sur le loquet de la porte comme le fanion de Tristan. Immense fiction. Quel bonheur ! Bleu, et noir dans cette délicate toile d'araignée de corps et de souvenirs. La peau et la plume. Mais plus de Sarah. *No. No more.* J'avance vers la balustrade du balcon. J'avale la petite note. Dans ma bouche, elle a la douceur du miel. Plume à la main. L'horizon au loin s'étend jusqu'à moi. Le chant mélodieux du quetzal resplendissant. Il n'y en a pas d'autres. Et les nuages… Ah ! « les nuages… les nuages qui passent… là-bas… là-bas… les merveilleux nuages ! »

1.
Charles Leblanc
PRÉVIOUZES DU PRINTEMPS
poésie

2.
Alexandre Amprimoz
DIX PLUS UN DEMI
poésie

3.
J.R. Léveillé
L'INCOMPARABLE
essai (littéraire)

4.
Suzanne Gauthier
VORTEX
livre d'artiste

5.
Bernard Mulaire
CHIEN
essai (beaux-arts)

6.
Marcel Gosselin
DELTA
livre d'artiste

7.
J.R. Léveillé
MONTRÉAL POÉSIE
texte

8.
Janick Belleau
L'EN-DEHORS DU DÉSIR
poésie

9.
Charles Leblanc
D'AMOURS
ET D'EAUX TROUBLES
poésie

10.
Louise Fiset
404 BCA – DRIVER TOUT L'ÉTÉ
poésie

11.
Charles Leblanc
LA SURCHARGE DU RÉSEAU
poésie

12.
Jean-Pierre Dubé
LA GROTTE
roman

13.
Charles Leblanc
CORPS MÉTÉO
poésie

14.
Louise Fiset
SOUL PLEUREUR
poésie

15.
Marcel Gosselin
MOZES
livre d'artiste

16.
Marc Prescott
BIG! / BULLSHIT /
SEX, LIES ET LES F.-M.
théâtre

17.
Charles Leblanc
L'APPÉTIT DU COMPTEUR
poésie

18.
J.R. Léveillé
NOSARA
roman

19.
Guy Gauthier
JOURNAL 5.1
journal

Achevé d'imprimer
en septembre 2003
sur les presses de Hignell Book Printing
Winnipeg (Manitoba)
pour le compte des Éditions du Blé